LA PEINTURE MAROCAINE

ARTHAUD

LA PEINTURE MAROCAINE

Mohamed Sijelmassi

ARTHAUD

L'AUTEUR

Je ne suis pas critique d'art. Je suis médecin. C'est pourquoi je ne me hasarde pas à formuler un jugement de valeur, dont je laisse l'initiative au lecteur. Je connais la plupart des peintres marocains et me contente ici de dresser un inventaire des œuvres de quelques-uns parmi eux.

La photographie étant mon passe-temps favori, j'espère que l'amour mis dans les prises de vue et le respect des couleurs pallieront la brièveté voulue des textes.

« Le paradis est dispersé sur toute la terre, c'est pourquoi on ne le reconnaît plus. Il faut réunir ses traits épars. »

Novalis.

Parce qu'un enfant avait un âne qu'il aimait comme seul compagnon, et qu'on le lui vola, il se mit à le dessiner en cachette à la manière des amoureux qui griffonnent sur les murs le nom de la femme qu'ils désirent. Il était né sous une tente, au pied de l'Atlas, non loin de Marrakech, et l'on dit qu'à l'école coranique qu'il fréquenta il était peu communicatif. A 19 ans, il cultivait des roses, dormait dans un fondouk avec les gens et leurs animaux venus de la campagne, pensant toujours à son âne et toujours le dessinant. Et comme dans la vie et les légendes il arrive toujours quelque chose, il arriva un peintre suisse qui donna des couleurs à l'enfant devenu jeune homme et le jeune homme abandonna ses roses, les bouquets qu'il dressait pour le restaurant où il était serveur, et devint peintre à part entière. Il s'appelle Moulay Ahmed Drissi et je le considère à l'égal d'un Giotto auquel il me fait penser par les tons de ses tableaux et leur curieuse profondeur métaphysique.

Mais l'auteur de cet ouvrage pour lequel j'écris ce qu'on appelle bien pompeusement une préface, le docteur Sijelmassi, est beaucoup mieux qualifié que moi pour dire qui est Drissi, et qui sont ces Hamidi, Mezian, Tallal, Belkahia, Cherkaoui, Louardighi, Miloud et autres peintres marocains qui s'éveillèrent à l'art en même temps que leur pays naissait à son indépendance.

Les deux choses sont intimement liées en effet car il n'y a pas d'art sans liberté. Il n'y a pas d'art non plus parce qu'il y a des écoles pour l'enseigner, et si certains des peintres rassemblés ici ont fréquenté ces écoles qui à Paris, qui en Pologne, qui en Espagne et qui même aux Etats-Unis, ce n'est pas pour cela qu'ils sont vraiment devenus peintres. Ils le sont devenus parce qu'ils sentaient, ô peut-être très confusément, qu'il n'y a de vrai rayonnement qu'artistiquement, et qu'une jeune nation n'acquérait sa véritable puissance que si elle contribuait à cet enrichissement du patrimoine spirituel mondial.

Je n'ai guère de titres pour parler de la peinture marocaine autre que celui d'aimer passionnément ce pays, de connaître bien ses gens, d'y avoir des amis, ce que je peux dire est donc d'ordre affectif, mais l'art étant passion, l'affectivité va de soi. J'ai connu Cherkaoui à Paris, Demnati à Marrakech, Hassan el Glaoui dans les deux pays. Ils étaient aussi différents dans leur peinture qu'on peut l'être, mais ces trois, dont deux ont déjà disparu tragiquement, avaient en commun une sensibilité particulière et c'est cette sensibilité qui est typiquement marocaine.

Je sais très bien que la mode, car il y a des modes en peinture comme dans la couture, veut qu'au fil des années l'art pictural s'internationalise, que le tableau parle un langage commun de New York à Tokyo, de Londres à Milan, d'Amsterdam à Zagreb. Il continue pourtant d'exister un courant national puissant et je me réjouis, feuilletant cet album, d'y constater chez des peintres en apparence aussi différents dans leur expression plastique que Melehi ou Ataallah et Chaibia Tallal et Ben Allal, le même sentiment d'une conscience, ou mieux d'une existence marocaine ; le besoin d'une certaine pureté du ton et de la ligne. L'inspiration a des sources mères, celle d'une culture ancestrale éminement poétique et jamais reniée.

Louardighi, le jardinier, évolue dans d'éternelles Mille et une Nuits, mais Mohamed Hamidi ramène le corps féminin à l'arabesque des architectures de mosquées que la lumière du soleil efface ou libère.

Le docteur Sijelmassi qui a entrepris cet ouvrage nous livre quarante noms d'artistes, mais aurait pu sans doute en donner davantage s'il n'avait tenu à l'extrême qualité de son anthologie. Les courants les plus divers se font jour, le Maroc n'échappe pas à cet interrogation que se pose aujourd'hui la jeune peinture ; considérer le tableau comme une fin, ou nier le tableau au profit d'un art collectif d'environnement ou de contestation. Il y échappe d'autant moins que la destination de l'œuvre d'art est beaucoup moins précisée que dans de vieilles nations capitalistes ou socialistes, et que se posent fatalement aux créateurs des problèmes économiques.

Laissons aux temps qui viennent le soin de les résoudre. Un grand pas a déjà été fait depuis l'Indépendance, ne serait-ce que dans le fait qu'on ne dit plus à celui qui se sent la vocation de peindre de se consacrer à cet artisanat du tapis, de la céramique ou du plâtre décoratif auquel l'occupant le condamnait. Avec de la bonne volonté on construit bien des usines, mais on ne fait pas de poésie. On constatera ici une fois de plus qu'on en fait avec la liberté.

INTRODUCTION

Saisir et fixer une tranche de vie est à la portée de tout bon photographe amateur, mais l'appréhender, l'interpréter, la sublimer, ne peut être que le fait d'un être sensible, qui possède du talent et un langage qui lui sont propres. Ce langage peut être le verbe, mais sa résonance me paraît éphémère, car s'il fait appel à l'imagination, il a besoin du support de la mémoire pour survivre dans le temps. Ce langage peut aussi être la peinture, c'est-à-dire un ensemble de formes, de signes et de lignes, qui ont comme support commun la couleur. Le langage devient alors un message lisible en permanence par notre regard; grâce à notre sensibilité, notre imagination le capte et l'interprète au gré de sa disponibilité. Cette illusion créée par la peinture est bien entendu éphémère, mais elle peut être galvanisée à tout instant sans qu'une tierce personne intervienne. Nous, seuls, sommes en cause ; nous assumons en quelque sorte notre propre liberté. Ce sont ces nuances, ainsi que le caractère universel du langage pictural, qui m'ont toujours fasciné dans la peinture. De là à réaliser un ouvrage sur ce sujet, il y avait un long chemin à parcourir. C'est d'abord mon amitié de longue date avec certains peintres, ensuite la constatation que leurs efforts et leurs recherches sont ignorés par le grand public, qui m'ont déterminé à rétablir une certaine vérité. N'ayant pas les connaissances techniques et l'assurance d'un critique d'art, j'ai opté pour une présentation de la peinture marocaine, plutôt qu'une analyse objective de cette peinture. En fait, je la « donne à voir » et laisse le soin aux mieux qualifiés de traiter de la genèse de cette peinture et de ses différentes tendances.

Tout au long de l'histoire du Maroc, un art traditionnel d'une grande richesse s'est développé. C'est un art fonctionnel, intégré à l'architecture et à la vie collective (mosquées, palais, kasbahs, poteries, bijoux, cuirs, tapis, céramiques, etc.). Les éléments esthétiques qui le composent sont organiquement agencés selon des canons déterminés dans le temps par les créateurs. Les inventions individuelles et collectives qui l'enrichissent demeurent ouvertes à des modifications et des interprétations imaginatives et originales. C'est un langage riche, lié aux influences et aux traditions sahariennes, africaines, arabo-berbères et surtout islamiques.

Cet art s'est toujours éloigné d'une réalité conventionnelle. Il est essentiellement géométrique, mais c'est une géométrie en profondeur, qui laisse la possibilité à une pluralité d'interprétations et de suppositions ; elle propose un monde infini d'imaginations optiques. Pour être perçu et apprécié, cet art traditionnel ne nécessite ni connaissances, ni support historique ou littéraire. La représentation humaine y est rare et traitée avec beaucoup de liberté. Cela a été attribué à tort à l'Islam. En fait l'Islam ne l'a jamais interdite formellement, l'Islam n'idéalise rien,

et encore moins le corps humain. En dehors de l'idée de Dieu, tout est voué à la destruction. L'artiste musulman procédait selon une démarche méditative, consciente ou inconsciente, et s'exprimait par des couleurs, des formes, des constructions spatiales qu'il réalisait dans ce qui était à sa portée, et qui faisait partie de sa vie quotidienne, c'est-à-dire son environnement dans le sens le plus large du mot. Il ne faisait appel qu'à l'imagination et à la sensibilité. Son art n'était ni anecdotique, ni chronologique.
La peinture, telle qu'elle est conçue habituellement — c'est-à-dire en tableau destiné à être accroché au mur — est un phénomène nouveau qui vient enrichir cet art. Il a fallu le contact d'autres civilisations pour que ces nouvelles préoccupations esthétiques intéressent notre société et nos artistes. Le regard a subi et subit encore des mutations ; il découvre d'autres centres d'intérêt en plus de ceux connus par les générations passées. Le rôle des premiers peintres marocains a été décisif en cela. Il leur a fallu non seulement réhabituer notre œil, mais supporter beaucoup de vicissitudes pour s'imposer. Ce n'est que vers le milieu de notre siècle, pour des causes qu'il serait intéressant d'analyser sociologiquement, économiquement et culturellement, que nous voyons se manifester les premiers peintres marocains ; leurs conceptions artistiques vont bouleverser certaines traditions, sans pour autant les nier, ni les rejeter. Ces peintres

sont de plus en plus nombreux, au point de créer une confusion dans l'esprit de l'amateur d'art. Ce foisonnement correspond à un ensemble de courants et de recherches qui sont certes bénéfiques, mais qui demandent du recul pour être jugés. Un mouvement cohérent n'a pas encore pris forme ; néanmoins il se dégage une nette tendance pour l'expression informelle.
Cela n'est pas étonnant, car en dehors de quelques peintures d'un réalisme académique, la majorité des œuvres picturales s'insèrent dans la tradition artistique marocaine. C'est cette tradition que tout artiste porte en lui sous forme d'informations intériorisées, qu'il recrée, en lui donnant un sens personnel.

A côté de ces peintres, dont les recherches sont axées sur les symboles, un autre groupe est caractérisé par une peinture instinctive dite « naïve ». Ils ont, ici comme ailleurs, leurs détracteurs et leurs admirateurs, mais ils ne sont plus considérés comme les seuls représentants de la peinture marocaine. Leur peinture est facile à lire, elle dénote une grande fraîcheur et une certaine authenticité. Par contre, d'autres peintres, qui sont les plus nombreux, font des recherches permanentes. Ils veulent dépasser ce que l'on pourrait appeler une pratique artistique « close », qui consiste à produire des tableaux destinés à orner les murs. Ils œuvrent pour une pratique artistique « ouverte », intégrée à l'architecture. Leurs recherches plastiques veulent avoir pour objet les rues, les places et les édifices publics.

Un groupe parmi eux a fait d'ailleurs une expérience importante, en organisant en 1969 une exposition « manifeste collectif », sur la Place Jamaa el Fna à Marrakech, ainsi qu'à Casablanca, sur la Place du 16-Novembre, la même année. Ils veulent dépasser l'art en tant que pratique séparée des autres activités sociales et l'intégrer à la vie quotidienne, comme par le passé. En cela ces peintres, non seulement s'inscrivent dans la ligne des préoccupations plastiques de l'avant-garde internationale, mais entendent contribuer d'une façon décisive à la transformation de notre société, remettant en question les valeurs plastiques du passé, en les revalorisant par une vision esthétique neuve, originale et active. D'autres facteurs interviennent dans ce renouveau artistique, perceptible dans la société marocaine : le développement et l'impact des moyens audio-visuels, la soif de savoir qui devient impérieuse pour tous et enfin la prise de conscience que la tradition artistique populaire doit être considérée et revalorisée.

De ce bref panorama, nous pouvons retenir que les perspectives d'avenir de la peinture au Maroc sont encourageantes et rassurantes. Si cette peinture porte l'empreinte d'un groupe ethnique, elle n'est en fait qu'une infime parcelle du génie créateur de l'homme, qui apporte sa modeste contribution au savoir universel, pour se rapprocher le plus possible d'un idéal de vie.

Mahjoubi AHARDANE 16 - 21
Mohamed ATAALLAH 22 - 25
Farid BELKAHIA 26 - 37
Karim BENNANI 38 - 43
Mohamed BEN ALLAL 44 - 49
Brahim BEN M'BAREK 50 - 51
Saad CHEFFAJ 52 - 57
Ahmed CHERKAOUI 58 - 71
Amine DEMNATI 72 - 73
Moulay Ahmed DRISSI 74 - 77
Hassan EL GLAOUI 78 - 85
Jilali GHARBAOUI 86 - 97
Mohamed HAMIDI 98 - 103
Mohamed KACIMI 104 - 105
Ahmed LOUARDIGHI 106 - 113
Mohamed MELEHI 114 - 121
Meriem MEZIAN 122 - 123
Mekki MEGHARA 124 - 129
Labiad MILOUD 130 - 131
Abdelhak SIJELMASSI 132 - 137
Chaibia TALLAL 138 - 145
Hossein TALLAL 146 - 149
Saïd AIT YOUSSEF 150 - 153
Abdellatif ZINE 154 - 155

MAHJOUBI AHERDAN

Né en 1924 à Oulmès, dans le Moyen-Atlas. Il entre à l'école d'officiers de Meknès vers l'âge de 16 ans, en sort en 1940. Il participe à la bataille de Tunisie puis à celle d'Italie. De 1949 à 1953, il assure l'intérim de caïd à Oulmès et participe à la résistance, dans la clandestinité jusqu'à l'indépendance du Maroc, en 1956. Depuis, il poursuit une carrière politique. Il occupe plusieurs fonctions importantes : il est gouverneur de la Province de Rabat, Ministre de la Défense nationale à deux reprises, Ministre de l'Agriculture, jusqu'en 1967 ; député à l'Assemblée Nationale, membre du Conseil National de la Résistance, et enfin créateur d'un parti.

Sa vie politique a été menée de pair avec des recherches artistiques dont l'importance va croissante. C'est en 1947 qu'il a son premier vrai contact avec la peinture : il habitait à Nice chez un ami dont le frère était peintre ; deux de ses peintures l'avaient impressionné. Comme il écrivait depuis longtemps des poèmes, il eut l'idée d'en illustrer un. Le dessin est venu spontanément. On l'encourage, il persévère et fait une première exposition de dessins à Versailles. Puis ce furent les essais de peinture toujours en autodidacte. Les progrès sont rapides, les résultats sont remarquables. Ils aboutissent à une expression picturale claire, personnelle et spécifique ; elle est essentiellement intuitive, et correspond chez lui à une libération de l'être ; elle est un complément à ses poèmes. Ses thèmes sont variés et semblent le délivrer de ses rêves, de ses fantasmes ; c'est tout un monde qu'il recrée avec fantaisie et assurance, sans se soucier de la ressemblance, mais dont il livre sur la toile la véritable essence. La nature où semble couler une eau limpide, qui n'a ni commencement ni fin, abrite parfois des animaux étranges, dans une végétation, torturée, transcendée, créant un lyrisme échevelé et surréaliste. Les personnages, qui ont été cernés d'un trait, vous regardent avec assurance, lucidité et souvent arrogance. Dans ses dernières toiles, le regard est perçant, scrutateur, intelligent, profond, c'est le regard d'un poète de l'Atlas.

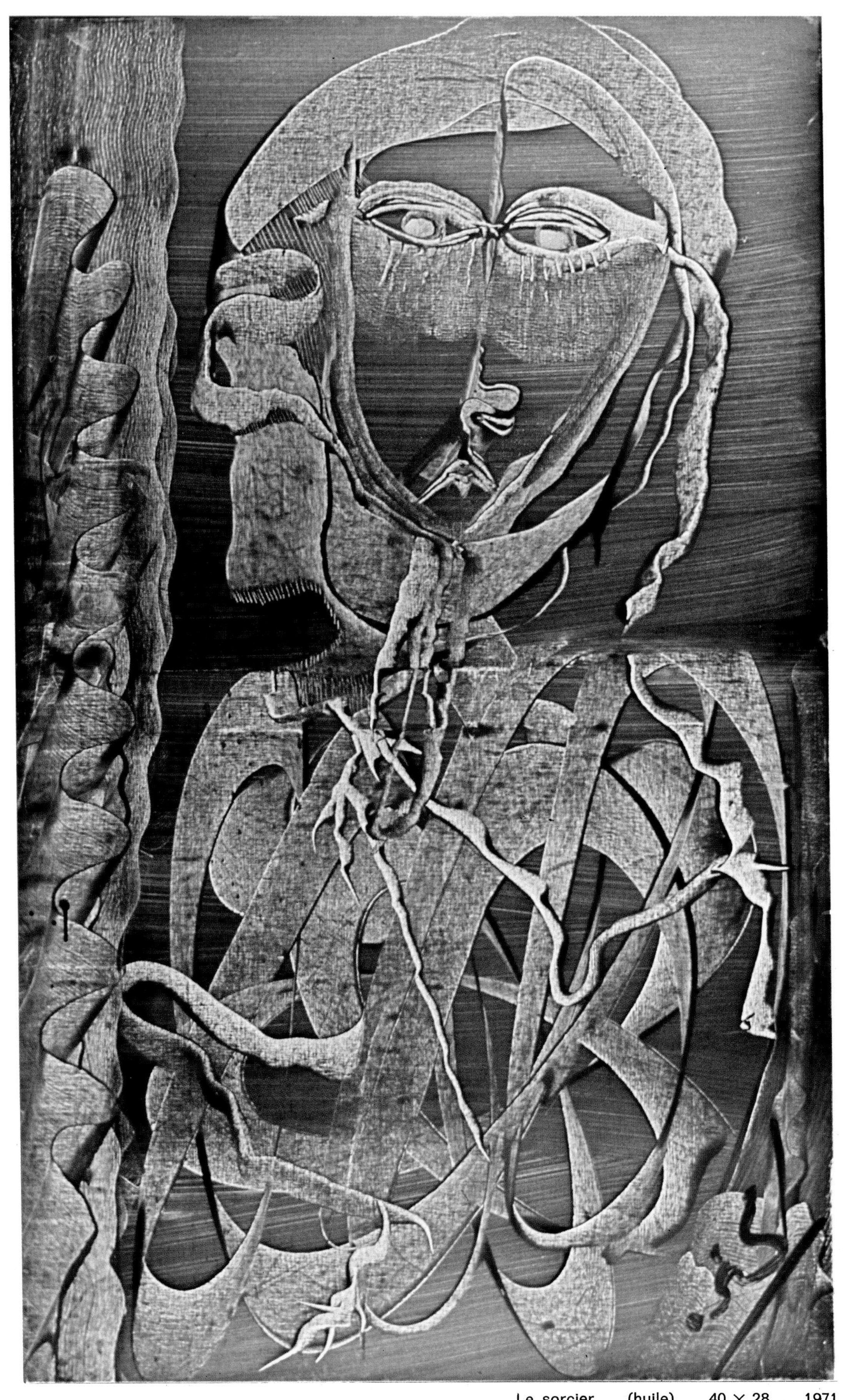

Le sorcier (huile) 40 × 28 1971

Symbole (huile) 40 × 28 1970

L'anneau du ciel (huile) 29 × 40 1971

La fileuse (huile) 100 × 60 1971

Joie (huile) 29 × 40 1971

MOHAMED ATAALLAH

Né à Ksar el Kébir, dans le nord, le 26 Mai 1939. Après des études secondaires, il entre à l'école des Beaux-Arts de Tétouan, puis obtient une bourse qui lui permet de suivre les cours d'art à Séville et Madrid (1956). De là il se rend à Rome pour compléter sa formation. Ce séjour en Italie fut décisif pour lui. Il va abandonner son style académique et faire de nombreuses recherches dans le domaine de la peinture géométrique.

Multiple (peinture) 63 × 45 1972

En 1968, il est nommé professeur à l'école des Beaux-Arts de Casablanca. L'année suivante, il participe à l'exposition collective « Présence plastique » sur la Place Jamaa el Fna à Marrakech. Cette expérience fut déterminante dans sa nouvelle orientation picturale : le Multiple Molécule. Il s'agit d'éléments conçus pour couvrir des surfaces jusqu'à l'infini, et destinés avant tout à une intégration dans l'architecture.

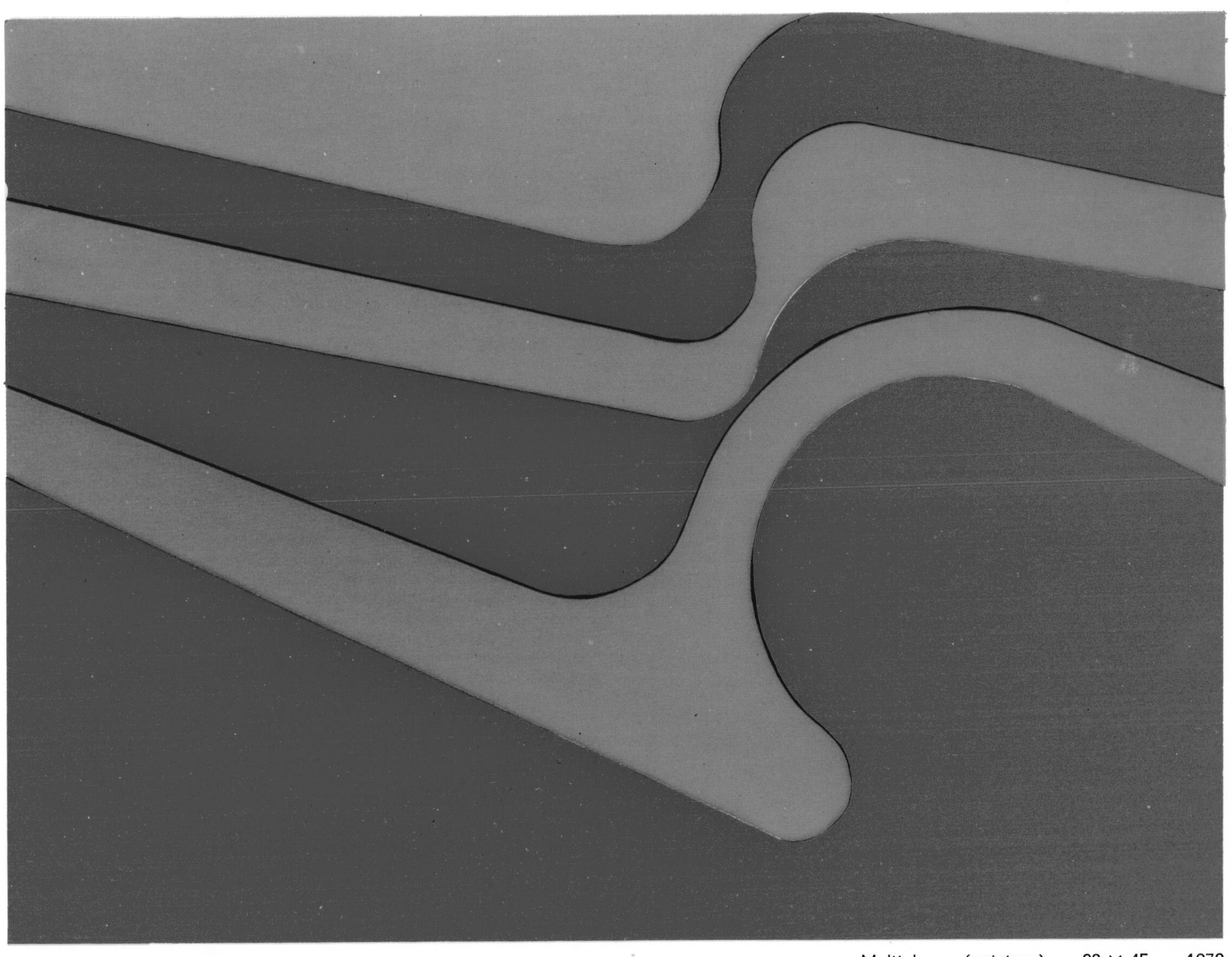

Multiple (peinture) 63 × 45 1972

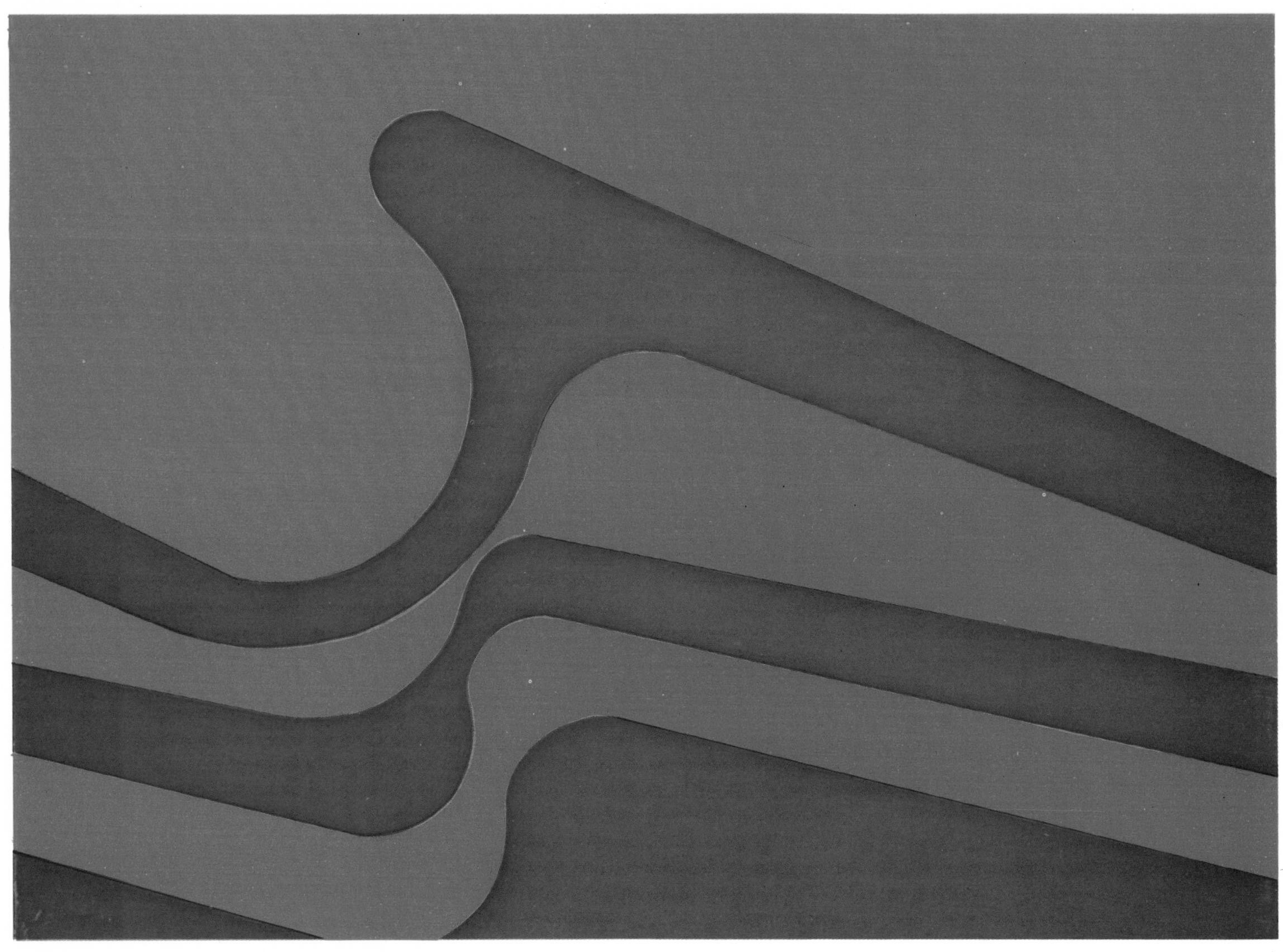

Multiple (peinture) 100 × 30 1972

Multiple (peinture) 63 × 45 1972

FARID BELKAHIA

Né le 15 novembre 1934 à Marrakech. Il poursuit ses études secondaires à El Jadida puis à Marrakech, avant de les interrompre pour enseigner comme instituteur dans une école primaire à Ouarzazate. De là il se rend directement à Paris où il s'inscrit à l'école des Beaux-Arts de 1954 à 1959 ; une bourse lui permet de compléter sa formation et d'étudier le décor de théâtre en Tchécoslovaquie (1959-62). De retour au Maroc en 1962, il est nommé directeur de l'école des Beaux-Arts de Casablanca, fonction qu'il occupe encore à ce jour.

La peinture, où il s'est lancé en autodidacte vers l'âge de 15-16 ans, l'a aidé à traverser une véritable crise d'adolescence. Elle a été un refuge et un soulagement ; elle l'a libéré de sa sensiblerie axée sur la misère et la tristesse humaines qui se lisaient sur ses toiles. Son thème favori était l'homme dans ses problèmes et ses angoisses. C'est à cette époque, à Ouarzazate, dans le sud marocain, qu'il fait sa première expérience de la liberté totale et de la découverte du sens de la responsabilité de soi-même et de l'autodétermination. En 1953, il fait une première exposition à Marrakech. Son succès lui permet surtout de réaliser un rêve : se consacrer entièrement à la peinture et se rendre à Paris pour s'inscrire à l'école des Beaux-Arts. En fait, il a très peu fréquenté les ateliers de peinture. La vie dans la capitale intellectuelle lui a appris beaucoup plus de choses sur l'art et sur lui-même. Se sentant seul, il a découvert qu'il ne pouvait échapper à certaines affinités avec des artistes ayant eu les mêmes difficultés que lui. Le premier peintre qui l'a marqué était Rouault, non pas tant par les thèmes, mais par l'atmosphère lugubre, les couleurs sombres et profondes de sa peinture. Puis ce fut Paul Klee, qui avait en commun avec lui une certaine richesse dans les formes et une thématique similaire dans l'expression picturale. Pendant toute cette période sa peinture est grave, souvent triste, tant par la couleur que par les sujets. Un jour il assiste à un spectacle du mime Marcel Marceau, marchand de masques qui les essaie tous et dont un tout à coup ne peut plus se détacher de son visage ; il avait été marqué par le fait de se sentir prisonnier d'une nouvelle identité. Cela lui inspire une nouvelle série de peintures sur les masques qui représentent pour lui une non-identité réelle de l'homme. La rencontre à Prague avec Henri Alleg, sorti des prisons d'Algérie, fut déterminante pour toute une série de peintures sur la torture, la guerre, le racisme, la souffrance humaine. De retour au Maroc en 1962, il a très peu travaillé pendant un certain temps ; il était arrivé à une certaine saturation de la couleur et de la matière, il sentait le besoin de changer.

Relief (cuivre) 88 × 88 1971

Grâce au voisinage d'un artisan qui travaillait le métal, il fait ses premiers essais sur le cuivre, cherchant à reproduire des peintures faites auparavant. Il a par la suite donné au métal une autre dimension, en faisant sortir des reliefs abstraits où la sensualité en tant qu'expression est permanente. C'est le thème de l'exposition faite à Paris en 1972. Le cuivre dompté, il l'abandonne pour faire actuellement de nouvelles recherches dans la peinture. C'est par la matière qu'il donne vie à ses toiles, en procédant par superposition de couleurs. Le graphisme vient simple-

ment délimiter les contours. Il l'a, dans ses dernières peintures, dépouillé au point d'aboutir à des signes responsables du message qu'il veut nous communiquer pour témoigner de sa propre expérience humaine et artistique. En fait, à travers lui-même, c'est l'homme avec tous ses problèmes qui l'intéresse. Dans ses peintures, dans ses reliefs, il est arrivé à nous le montrer avec une loupe, faisant l'analyse de chacun de ses états d'âme et les restituant avec une clarté et un talent indiscutables.

Guerriers (plâtre) 100 × 36 1964

Monotype diam. 40 1972

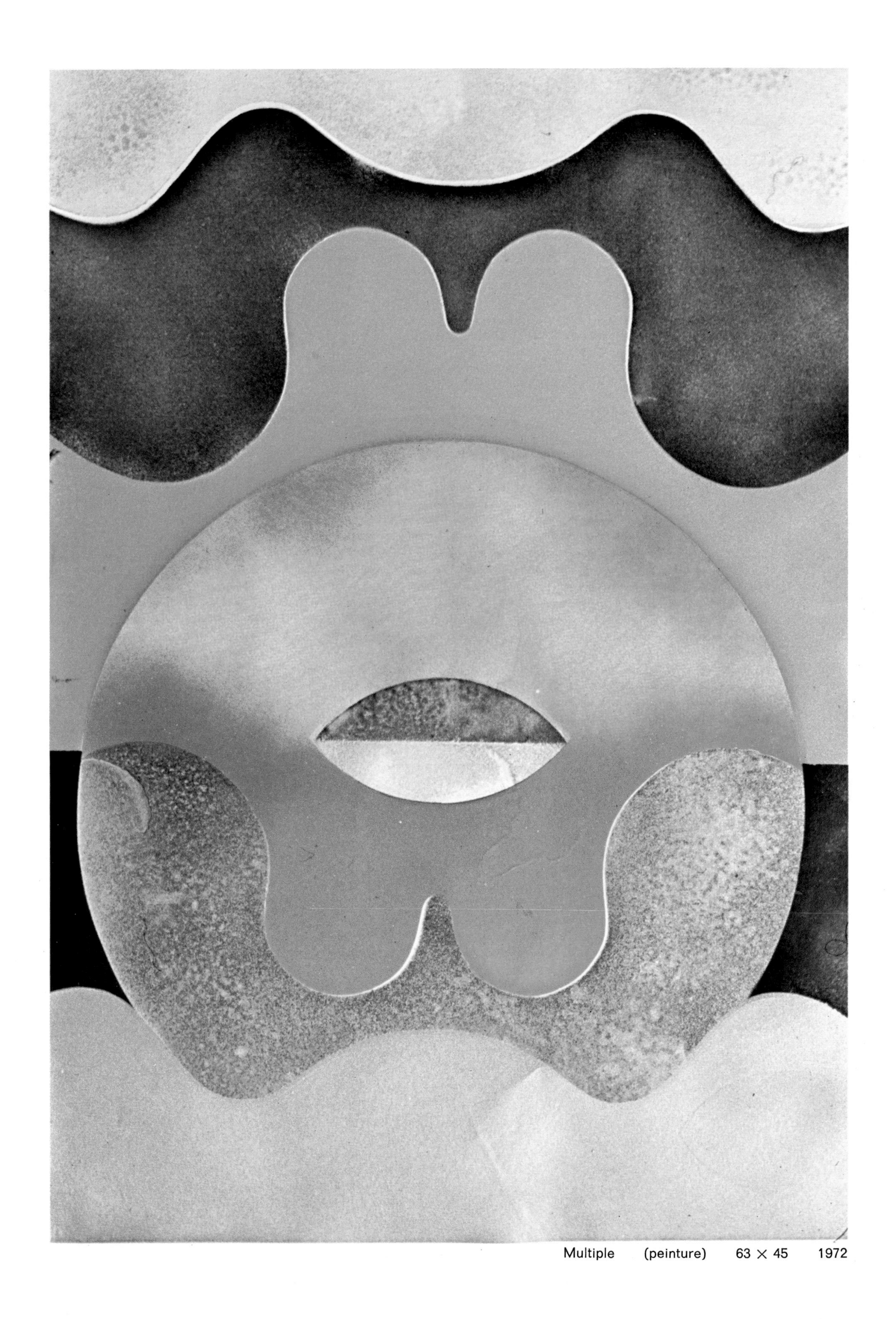

Multiple (peinture) 63 × 45 1972

Couple (huile) 85 × 65 1960

Réflexion (huile) 49 × 72 1961

Relief (cuivre) 155 × 103 1967

Relief (cuivre) diam. 80 1971

Guerriers (pastel) 43 × 65 1963

Cuba Si (huile) 63 × 45 1961

KARIM BENNANI

Né le 2 janvier 1936 à Fès. Son père est agriculteur. Il entreprend des études commerciales et les abandonne par la suite pour suivre les cours de l'Académie d'Art de la même ville. Là il fait la connaissance du peintre Jilali Gharbaoui qu'il retrouvera en 1954 à l'école des Beaux-Arts de Paris. Après 5 années passées dans cette école, qu'il a en fait peu fréquentée, il rentre au Maroc, à Rabat (1959), où il s'occupe de décoration, tout en continuant à peindre. Si sa peinture a été anecdotique à ses débuts, dès son retour au Maroc ses recherches se sont orientées vers une symbologie instinctive. Un ensemble de lignes articulées d'une manière gestuelle rappelle la tradition arabe de la calligraphie. Ce sont là des signes auxquels sont venus s'ajouter des astéroïdes qui envahissent parfois toute la toile et qui semblent issus des étoiles de l'art traditionnel musulman. C'est la couleur qui donne une forme et un sens à ces signes. Elle s'étale en traits larges, nerveux et riches, traduisant des préoccupations psychologiques parfois angoissantes.

Mouvement (peinture) 80 × 50 1970

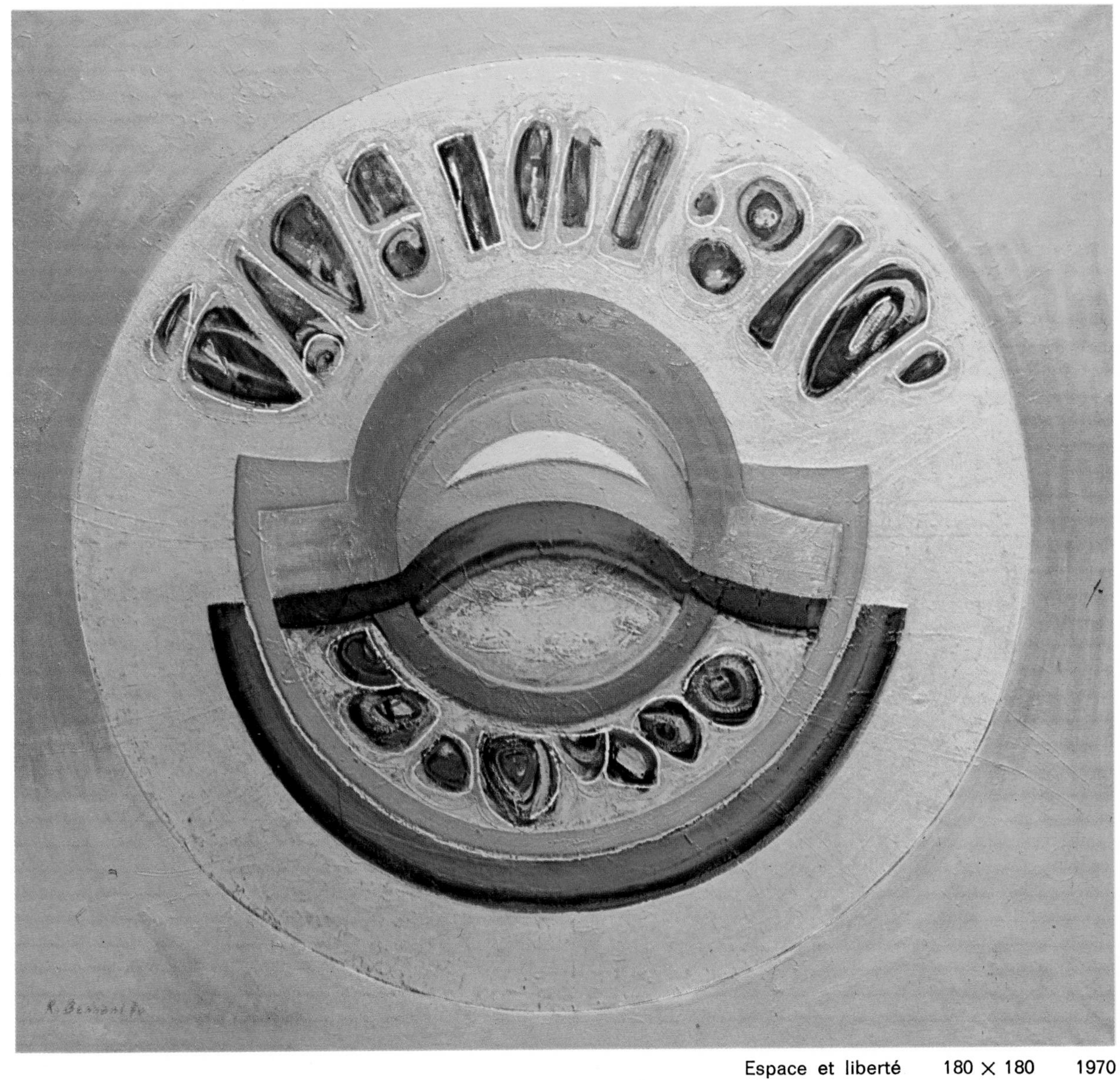

Espace et liberté 180 × 180 1970

Tapis mural 150 × 150 1970

Tapis mural 160 × 110 1972

Mouvement 50 × 60 1970

Croix du Sud 100 × 70 1970

MOHAMED BEN ALLAL

Né à Marrakech en 1924. Son père était un modeste artisan qui aimait jouer du luth le soir venu. A sa mort, le jeune garçon quitte l'école coranique pour travailler dans une échoppe de la médina qu'il abandonne rapidement, attiré par la rue et ses nombreuses sollicitations. Il passe alors son temps à flâner dans les souks de Marrakech, observant les scènes insolites de la vie quotidienne ; ou bien, il s'installe pendant des heures sur la Place Jamaa el Fna pour écouter religieusement les conteurs dont la verve est intarissable. Il garde toutes ces images en

Les tisseuses (gouache) 49 × 38 1971

mémoire, en attendant de les peindre plus tard. A l'âge de 16 ans, il travaille comme cuisinier chez le peintre Jacques Azema. Un jour, il s'empare du pinceau et compose un tableau qui surprend et séduit son protecteur et ami. Celui-ci l'encourage et le fait participer à une exposition en 1953. La peinture est devenue désormais son mode d'expression artistique. Ses thèmes sont anecdotiques ; leur composition est étonnante ; le fond est toujours subtil et rappelle les couleurs des kasbahs ou du désert ; le décor est quasi géométrique et les person-

Repas de famille (gouache) 55 × 43 1971

nages aux couleurs vives évoquent souvent les miniatures persanes, sans jamais les imiter. La richesse de son intuition, la diversité des thèmes, la malice qui anime chacun de ses sujets, tout cela fait que la peinture de Ben Allal est un réel panorama de la vie quotidienne marocaine, dans ce qu'elle a de plus intime, de plus secret.

Au bord du ruisseau (gouache) 38 × 25 1971

Chez le médecin (gouache) 49 × 38 1971

MOHAMED BALLAL 71

Le pain quotidien (gouache) 55 × 43 1971

BRAHIM BEN M'BAREK

Un des premiers sculpteurs connus au Maroc. Il est né à Taroudant, aux confins du désert, vers le début de ce siècle. Autodidacte, il a créé autour de lui un monde étrange de personnages et d'animaux taillés dans la pierre tendre. Lentement, mais avec maîtrise, il donne vie à ces blocs dont il garde la forme primitive et d'où surgissent des scènes étonnantes par leur composition et par l'aspect des visages qui rappelle étrangement l'art égyptien pharaonique. Serait-ce une réminiscence du passage d'Osiris dans la vallée du Draâ toute proche ?

Sculpture de pierre tendre haut. 95 cm

SAAD CHEFFAJ

Né le 16 Janvier 1939 à Tétouan où, après des études coraniques, il poursuit l'enseignement moderne qu'il interrompt vers l'âge de 20 ans pour se consacrer à la peinture. Il travaille à l'école des Beaux-Arts de Tétouan pendant 2 ans, puis à celle de Séville. De là il se rend à Paris poursuivre les cours de l'école du Louvre, puis s'inscrit à la faculté de Lettres de Séville, section archéologie. En 1965 il revient au Maroc et s'installe à Tétouan. Jusque là sa peinture était figurative

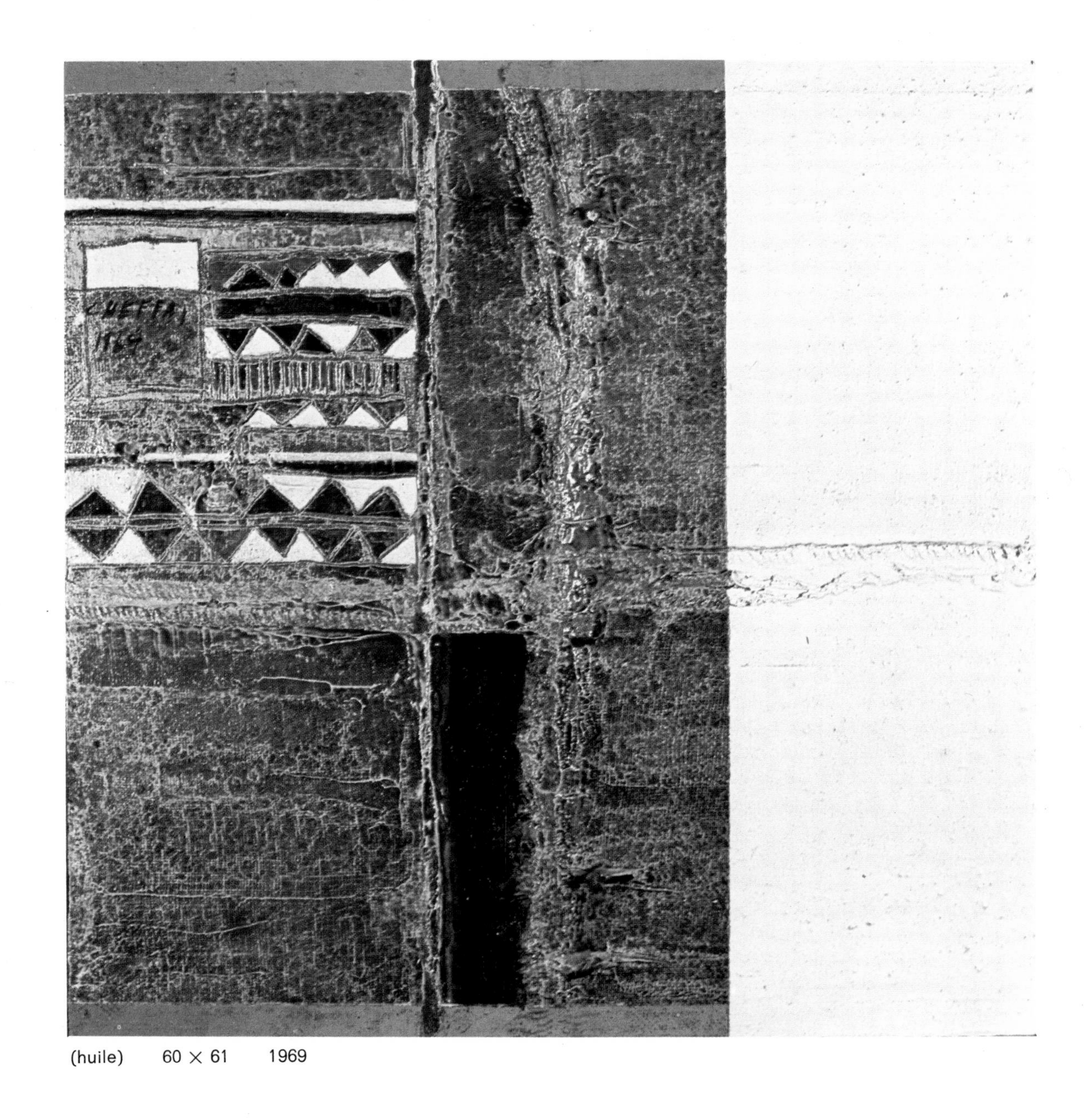

(huile) 60 × 61 1969

et marquée par un certain académisme. Le retour au pays a provoqué en lui une crise d'identité qui a été déterminante dans l'orientation de ses recherches plastiques. Il s'est d'abord imprégné des couleurs chaudes de la région du Rif et de la Méditerranée toute proche. Il a ensuite redécouvert la poésie et l'harmonie de

(huile) 58,5 × 58,5 1971

l'art populaire dont il va s'inspirer. Sa peinture, devenue non-figurative, a comme support la toile de jute, qui représente pour lui un certain romantisme ; parfois cette toile est collée sur du bois, qui semble souffrir à cause des clous qui seront enfoncés avec colère par l'artiste. Toute une symbologie viendra s'inscrire sur cet ensemble : des lignes brisées qui évoquent les ondes des vagues tourmentées, des croix — signe de vie ou de mort — (l'atelier de Cheffaj sur-

(huile) 60 × 60 1972

plombe un cimetière), des cercles d'où, tel le soleil, partent des rayons, mais atrophiés, des couleurs qui semblent être arrachées au ciel ou à la montagne toute proche, puis étalées sur la toile ; toujours dans un coin ou délimitant plusieurs zones sur le tableau, une surface d'une blancheur immaculée. On sent dans ses toiles une inquiétude permanente et les pulsations d'une âme qui se débat dans les éternels problèmes de la condition humaine.

(huile) 60 × 60 1971

(huile) 60 × 60 1972

(huile) 96 × 66,5 1971

AHMED CHERKAOUI

Né le 2 Octobre 1934 à Boujad, dans cette plaine fertile de la Chaouïa, il étudie d'abord le Coran et se passionne dès son jeune âge pour la calligraphie arabe. C'est à Casablanca qu'il fait ses études secondaires avant d'être admis à l'école des Métiers d'Art (1956) à Paris, et d'en obtenir le diplôme (1959). L'année suivante, il entre à l'école des Beaux-Arts de Paris, dans l'atelier d'Aujame, il le

Sophia 66 × 55 1965

quitte (1961) et passe un an à Varsovie, à l'Académie des Beaux-Arts. A partir de cette époque, il prend conscience de sa personnalité et effectue des recherches de plus en plus importantes dans la peinture, tout en s'enrichissant par le contact avec les œuvres d'autres peintres, dont Bissières, qui l'a profondément ému, Rouault et Paul Klee. De retour de Pologne, il s'installe à Paris où il obtient

L'inachevé (huile) 65 × 53 1961 (fait à Varsovie)

une bourse de l'UNESCO pour faire des recherches sur le signe berbère et la calligraphie arabe. Malheureusement ce travail, comme sa peinture, furent interrompus par sa mort à l'âge de 33 ans, le 17 Août 1967 à Casablanca.
Dès sa première exposition, en 1959, sa peinture avait une facture personnelle. C'était d'abord des natures mortes et des paysages marocains qu'il peignait en

Miroir vert (gouache) 29 × 24 1965

employant uniquement la terre rouge, bleue, jaunâtre, noirâtre. Puis vint la période tachiste, influencée par l'expressionnisme allemand. A ce moment-là il a commencé à découvrir fortuitement des signes sur les tâches qu'il peignait. Ce sont en fait des réminiscences de formes qu'il connaissait depuis toujours et qui sont venues s'intégrer dans ses compositions. Il en a pris conscience surtout

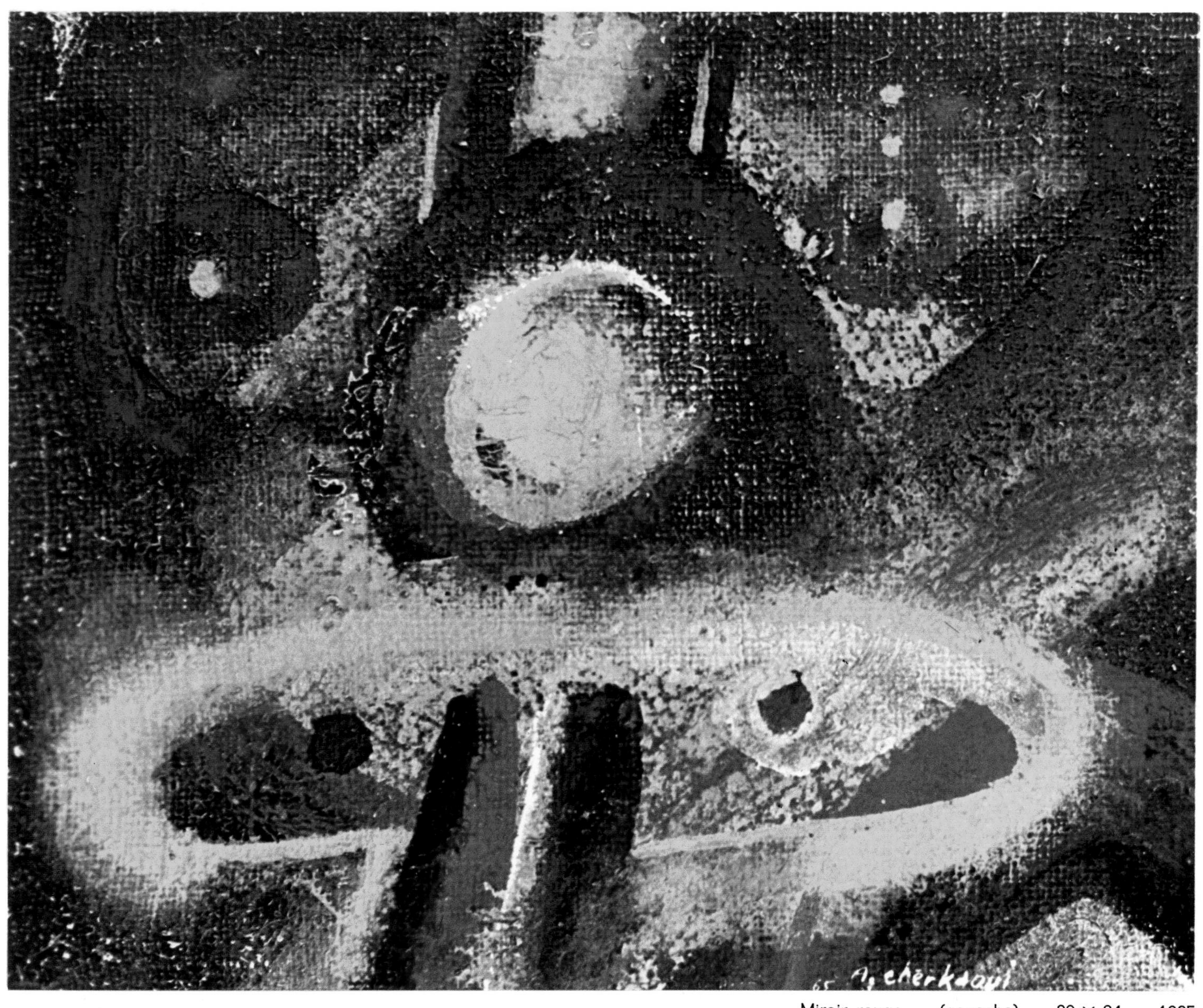

Miroir rouge (gouache) 29 × 24 1965

quand, écoutant un disque — les quatre saisons de Vivaldi — offert par son frère, il a peint 4 toiles entièrement couvertes de ces signes. A partir de là, il va les approfondir, en chercher la signification dans l'art arabo-berbère et les transposer à sa manière. Enfant, ces signes l'intriguaient chez sa mère qui les portait sous forme de tatouages au visage et sur les mains. Il a fait des recherches à travers l'Atlas et dans différentes régions du Maroc, découvrant qu'ils étaient caractéristiques pour chaque famille et avaient diverses significations : c'était soit des curriculum vitae, soit des éléments décoratifs, ou enfin ils avaient un pouvoir mythique dont le sens s'est perdu avec le temps. Il les a admirés sur les poteries anciennes, les bijoux, les tapis, les cuirs des régions sahariennes, ou enfin sur les mains des jeunes mariées, lors de la cérémonie du « henné ». Il a essayé d'éclaircir leur sens caché et surtout d'approfondir la complexité de leurs rapports avec l'homme. Il n'a pas reproduit le signe tel qu'il existait dans l'art traditionnel marocain, mais il l'a transposé par les moyens plastiques qui lui sont propres. Sa structure a disparu, au point qu'il n'en reste que l'idée avec une signification neuve. Il en a fait un langage pictural personnel, par la luminosité de la couleur, sa richesse, sa densité, qui le place parmi les grands peintres modernes dont l'œuvre reflète la méditation, le mysticisme et l'amour.

(huile) 31 × 37 1962

(huile) 100 × 50 1963

Masque noir (gouache) 29 × 44 1965

Miroir (gouache) 23 × 25 1965

(huile) 89 × 70 1962

(huile) 79 × 92 1965

(huile) 30 × 37 1962

Jardin de paix (huile) 65 × 50 1961

AMINE DEMNATI

Né le 15 Janvier 1942 à Marrakech où il fait ses études primaires avant de s'inscrire à l'école des Arts Appliqués de Casablanca, puis à celles des Métiers d'Art de Paris, des Arts Décoratifs et enfin l'école du Louvre. De retour au Maroc, il se consacre entièrement à la peinture, traitant des thèmes folkloriques, avec acharnement jusqu'à sa mort, le 10 Juillet 1971.

(huile) 62 × 22 1967

(gouache) 61 × 47 1967

MOULAY AHMED DRISSI

Né en 1923 sous une tente à Lazib Goundafi, dans les environs de Marrakech, au pied de l'Atlas. A l'âge de 6 ans, il entre à l'école coranique. Enfant, il communiquait peu avec ses camarades ; son vrai compagnon était un âne qu'il chérissait et dessinait continuellement en cachette, surtout depuis le jour où on le lui vola. On le retrouvera plus tard dans la majorité de ses toiles. Adolescent, il travaille comme ouvrier agricole jusqu'à 19 ans. Il cultive et vend des roses. A Marrakech, un restaurateur l'engage pour faire ses bouquets de fleurs ; il

Cavaliers (huile) 60 × 45 1965

travaille ensuite comme serveur dans un restaurant. La nuit, il dort dans un fondouk, près des animaux des campagnards venus faire leurs emplettes dans la grande ville. Il se lie d'amitié avec un peintre suisse qui lui offre ses premiers tubes de peinture. Le résultat est excellent, au point que son protecteur lui organise une exposition à Lausanne en 1952. A partir de ce moment, Drissi va se consacrer entièrement à la peinture. La même année, il est invité en Suède où

(huile) 50 × 68 1963

il expose 3 fois, ce qui lui permettra de vivre en Scandinavie pendant près de 2 ans. Après un court séjour au Maroc, il se rend en Italie où il demeure jusqu'en 1955, puis en France, et ne retourne définitivement au Maroc qu'en 1956 pour s'installer à Rabat dans une maison dont il a agencé le jardin avec d'énormes sculptures en béton.

Drissi est un autodidacte qui a créé tout un monde imaginaire dans sa peinture : des hommes, vêtus d'un burnous, montrant rarement leur visage ; d'autres dont seule la tête émerge de la terre ; des arbres sans feuillage, aux formes étranges, des animaux (ânes, chevaux) filiformes,fragiles ; des paysages limités par des lignes fuyantes. Les dessins semblent être faits par un enfant, mais les formes

(peinture) 50 × 60 1965

intéressent peu l'artiste, c'est par la couleur qu'il s'exprime et transmet son message. Sa symbologie est essentiellement chromatique. Il l'explique lui-même : le bleu signifie la sainteté ; le rose, la fougue ; le noir, tout ce qui est ordinaire ; le marron ce qui est sous terre ; le vert, la vie ; le jaune, la violence ; le rouge, la mort, etc.

Une indéniable angoisse se dégage de sa peinture. Si elle est le reflet des frustrations de son enfance, elle est aussi et surtout l'expression d'une âme méditative, d'une pensée profonde et de préoccupations métaphysiques constantes. Elle est, comme il le dit « le témoignage des traces d'un homme dans la vie ».

(huile) 50 × 68 1965

HASSAN EL GLAOUI

Né en 1924 à Marrakech où il fait ses études secondaires, tout en peignant en secret, car son père le destinait à une autre carrière. Un jour, un ami de son père, le général Goodyear, fondateur du Musée d'Art Moderne de New York, voit ses peintures et l'encourage. En 1952, il se rend à Paris pour une première exposition personnelle à la Galerie Weill, et pour étudier à l'école des Beaux-Arts. Mais dès le début, l'esprit de l'école ne lui convient pas. Il s'inscrit chez Souverbi qui lui enseigne le dessin, et chez Emily Charmy pour la peinture. Tous deux avaient un atelier libre. Il restera 15 ans à Paris, travaillant avec Mme Charmy et faisant plusieurs expositions. En 1965, il rentre définitivement au Maroc où il s'installe avec sa famille.

(gouache) 73 × 107 1971

Des études, il lui est resté un goût pour le portrait, qu'il peint à l'huile, en faisant ressortir l'âme de ses sujets, dont le regard décèle toujours un certain étonnement et une certaine candeur. Mais c'est surtout la gouache, à cause de sa légèreté et de sa maniabilité, qu'il utilise pour ses peintures qui ont pour thème le cheval. Il était interne au lycée quand, avec ses premières économies, il achète un poulain qu'il élève lui-même et qui devient sa préoccupation principale. Ses études en ont supporté les conséquences ; son père inquiet lui confisque le cheval qu'il envoie dans sa kasbah de Télouet où il participe à des fantasias.

Est-ce la frustration ou le besoin d'évasion qui pousse El Glaoui à peindre avec acharnement et maîtrise des chevaux aériens qui paraissent devoir s'envoler de

(gouache) 73 × 107 1971

la toile ? En tout cas, il a le mérite de les voir de l'intérieur et d'en faire une fresque qui perpétue l'amour de tout arabe pour son cheval.

Détail (gouache) 1971

(gouache) 73 × 107 1971

(gouache) 50 × 65 1951

(huile) 70 × 58 1963

Portrait (huile) 59 × 70 1965

JILALI GHARBAOUI

Né en 1930 à Jarf el Melh, près de Sidi Kacem. Après avoir fait des études secondaires, il entre dans une école de peinture à Fès en 1950. Il travaillait le jour en vendant des journaux afin de pouvoir suivre les cours du soir. En 1952, il obtient une bourse pour l'école des Beaux-Arts de Paris où il reste 4 ans et ensuite 1 an à l'Académie Julian. En 1958-59, il séjourne à Rome, comme boursier du gouvernement italien, et revient au Maroc en 1960. Il s'installe à Rabat, et fait de fréquents voyages en Europe, notamment à Paris et Amsterdam (1966-67).

(huile) 77 × 53 1969

Sa peinture est passée par diverses tendances : impressionnisme français, peinture hollandaise ancienne et expressionnisme allemand. En 1952, il commence à faire de la peinture abstraite. Il est le premier peintre marocain à avoir choisi ce mode d'expression pictural. De retour au Maroc, il a senti le besoin de sortir de nos traditions géométriques, en donnant un mouvement à la toile, un sens rythmique, et, le plus important, de la lumière. La quête de cette lumière était pour lui capitale. Il disait : « La lumière nous lave les yeux » - « Une peinture lumineuse nous éclaire ». Toute son œuvre est marquée par le désir de rendre

(gouache) 107 × 77 1971

sensible cette qualité spatiale qu'est la lumière, et notamment l'aspect singulier qu'elle prend dans les paysages marocains. Il est de ceux qui ont su l'exprimer sans redondance ni facilité.

Nulle allusion formelle, nulle anecdote, ne viennent gêner cette quête. La couleur, la matière et un trait gestuel sans repentir suffisent pour évoquer tour à tour les jardins du Chellah et les sources fougueuses de l'Atlas. Cette compréhension juste des qualités et des moyens de la plastique contemporaine le situe d'emblée parmi les peintres les plus marquants du mouvement informel de notre époque. Il a su en poète établir une véritable intimité avec la matière picturale, y conver-

(huile) 1969

tissant tout, sa sérénité, ses tourments, sa vision du monde et son « espace du dedans ». La peinture de Gharbaoui, chant lyrique et généreux, reste pour ceux qui l'ont connu, l'expression même de sa vie intense, mouvementée, angoissée, généreuse, solitaire. Ce sentiment de solitude, cet appel humain qui jaillissent de ses toiles l'ont poursuivi et marqué même au moment de sa mort, lorsque son corps inanimé fut découvert sur un banc public, au Champ de Mars à Paris. C'était le 8 Avril 1971.

(huile) 107 × 77 1970

(gouache) 107 × 77 1971

(gouache) 107 × 77 1971

(huile) 65 × 93 1960

(huile) 107 × 77 1967

(huile) 96 × 166 1959

Gharbaoui
1967

(huile) 130 × 95 · 1967

MOHAMED HAMIDI

Né en 1941 à Casablanca, où il fait ses études jusqu'au niveau du brevet élémentaire. En 1955 il s'inscrit à l'école des Beaux-Arts de Casablanca qu'il quitte pour Paris en 1957. Là il entre à l'atelier de la Grande Chaumière, puis à l'école des Métiers d'Art et enfin aux Beaux-Arts, atelier de peinture (1960-64) et atelier de fresques avec Aujame (1964-66).
Deux événements personnels semblent avoir eu une certaine influence sur la thématique actuelle de sa peinture. A l'âge de 8 ans, à la suite d'un accident de football, on l'ampute du bras gauche. Le 2e événement se situe en 1967, devant la maison familiale : une femme, au milieu des cris, est sortie complètement nue dans la rue. Toute sa famille assistait par hasard à la scène. C'est alors que sa mère indignée a fait rentrer tous les enfants à la maison pour les empêcher de voir le corps nu de cette malheureuse femme. Il s'en est suivi une discussion et surtout une prise de conscience. Il a réalisé qu'il avait un rôle à jouer en tant qu'artiste pour démystifier la sexualité dans la société marocaine. D'où la série de peintures traitant ce thème, depuis cette époque jusqu'à

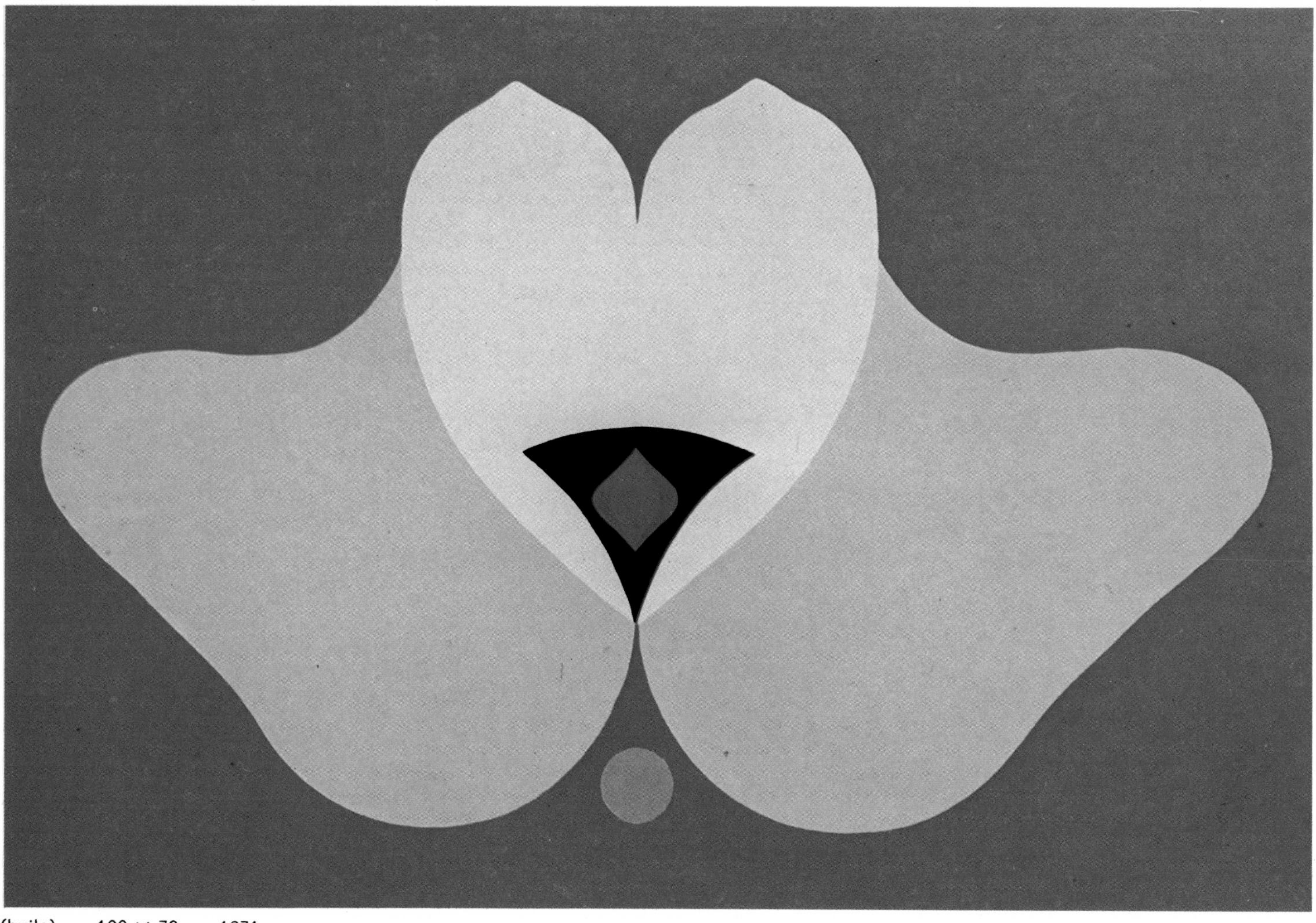

(huile) 100 × 70 1971

maintenant. Sur le plan plastique, on est frappé par la simplicité avec laquelle il agence les grands espaces et par un travail à plat, dénué de perspective ; viennent s'y ajouter une netteté et une clarté qui excluent la gratuité. Il y a chez lui un refus du scandale, et d'une manière générale, une absence de provocation. Il y a aussi une volonté de communication très simple, ce qui rend sa peinture plus intense. On a conscience d'un travail médité et programmé, qui essaie de recréer un mouvement de vibrations sonores, telles qu'on les perçoit dans la nature. En effet, comme il le dit « lorsqu'on observe la campagne marocaine, on constate que toute ligne est détruite par la lumière des rayons solaires. La nature humaine et physique s'organise en taches colorées. Une forme donnée devient une masse qui émerge de la terre, surtout dans les moments de chaleur où les vibrations ajoutent encore plus de mouvement à cette vision. Il n'y a pas de masse immobile ». Hamidi intègre l'image perçue qui le tourmente, puis recrée une composition par laquelle il arrive à donner une structure conceptuelle à des formes naturelles qui sont les attributs de l'homme et de la femme.

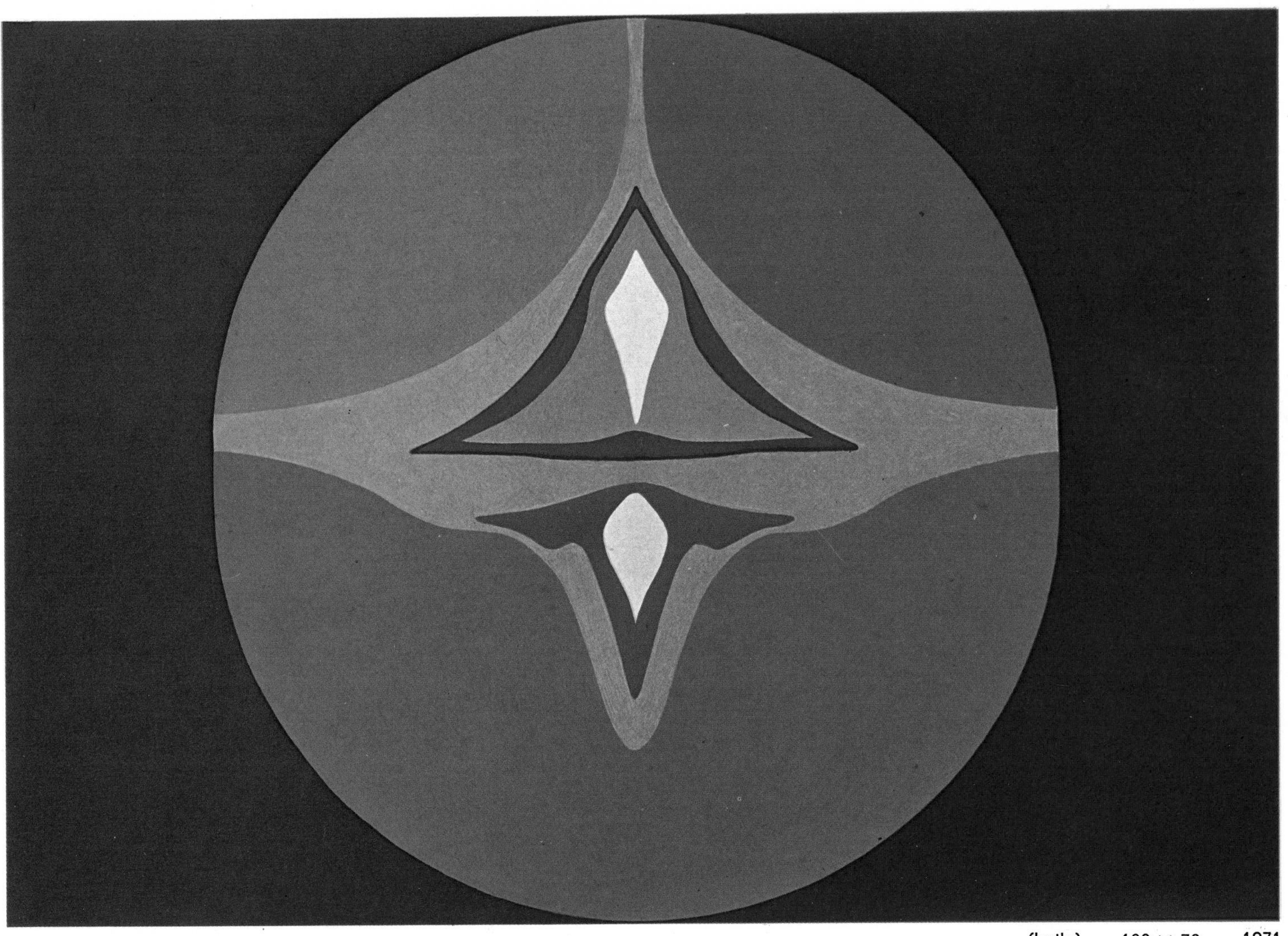

(huile) 100 × 70 1971

Collection privée (huile) 100 × 70 1972

Collection privée (huile) 100 × 70 1972

(huile) 100 × 60 1972

Collection privée (huile) 100 × 70 1972

MOHAMED KACIMI

Né en 1942 à Meknès. Il a connu dans son enfance une ambiance artistique au contact de sa mère qui tissait des tapis ou faisait de la broderie. Ses études secondaires terminées, il enseigne dans une école primaire qu'il quitte au bout de 2 ans pour travailler au Ministère des Affaires Culturelles jusqu'en 1966. Entre-temps, en 1960, il suit des cours d'initiation plastique à Rabat. C'est son premier contact avec la peinture. Pendant 5 ans, il peint en autodidacte, puis s'inscrit à l'école des Beaux-Arts de Paris (1966-67). De retour au Maroc, il se consacre entièrement à la peinture, faisant des recherches qui aboutissent à une expression informelle. Sa symbologie est instinctive. Elle reflète ses préoccupations, ses impulsions, ses angoisses. Des couleurs où dominent le noir, le rouge, créent un climat apaisant pour le regard.

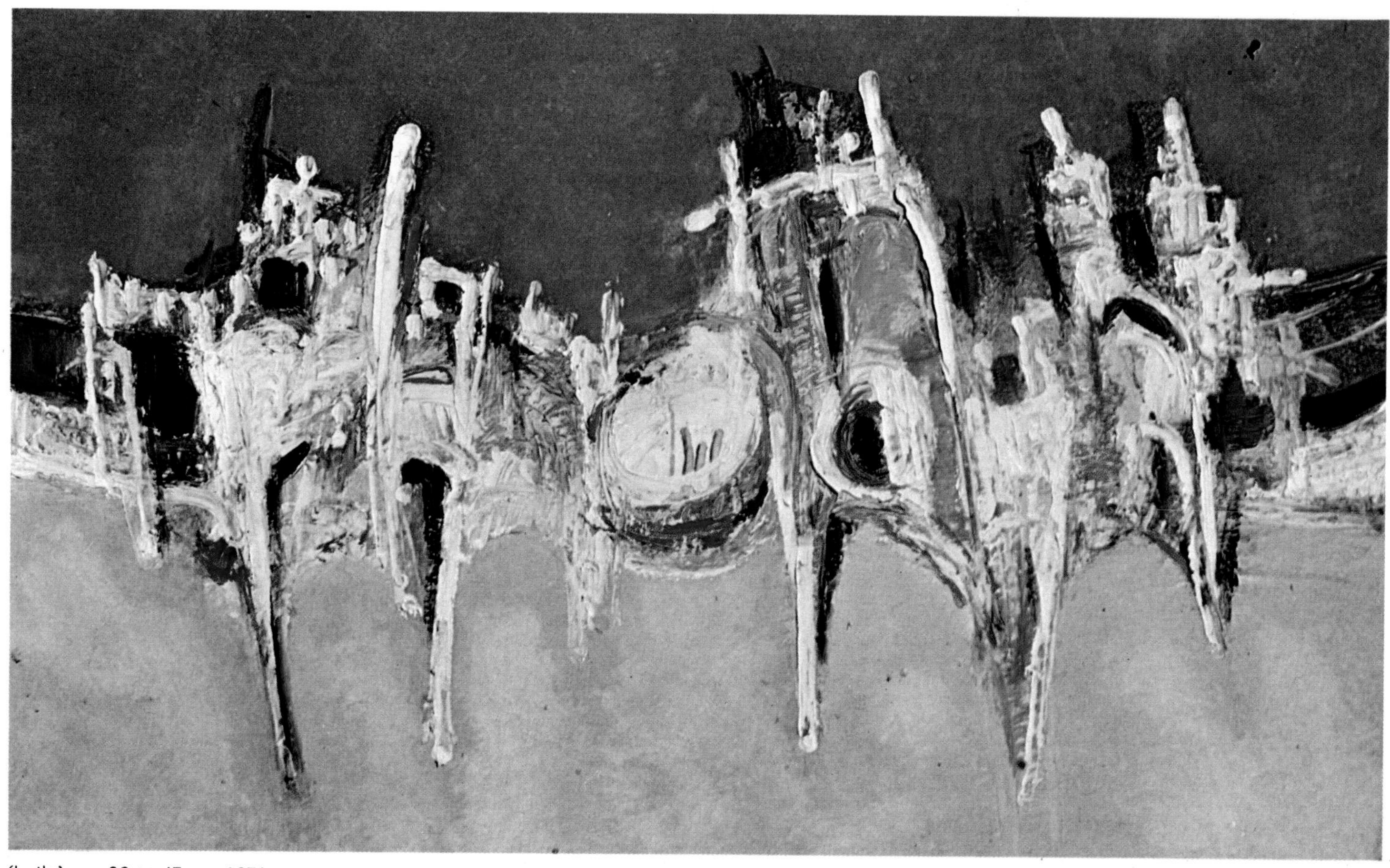

(huile) 96 × 47 1971

(gouache) 130 × 110 1970

AHMED LOUARDIGHI

Né à Salé en 1928. Fils de jardinier, il devient jardinier dès l'âge de 12 ans, après avoir reçu une instruction sommaire à l'école coranique. Jusqu'à l'âge de 31 ans, il gagne modestement sa vie en travaillant au gré des employeurs dans les jardins maraîchers des environs de Salé ; mais surtout il vit parmi les arbres et les fleurs multicolores qui imprègneront plus tard sa peinture. C'est en 1959 qu'on entend parler de lui pour la première fois en tant qu'artiste. Depuis quelque temps déjà, pour se délasser le soir, il peignait sur des papiers qu'il offrait à ses amis. Un jour, un autre jardinier, Miloud, devenu peintre, lui suggère de montrer ses peintures à Mourab Ben M'Barek, architecte à Rabat. Celui-ci l'engage pendant un an chez lui et lui laisse toute liberté pour peindre et préparer une première exposition, en 1961. Devant ce succès, il abandonne son premier métier pour se

Musique populaire (gouache) 100 × 66 1971

consacrer entièrement à la peinture. En 10 ans, il fait 41 expositions, dont 12 à l'étranger, et peint plus de 1 000 tableaux.

Autodidacte, Louardighi est passionnant à plus d'un égard. De son enfance et de son adolescence, il a gardé la fraîcheur ; de son contact permanent avec la nature, une certaine gaieté ; le succès n'a nullement entaché sa modestie. Mélomane, c'est Beethoven qu'il apprécie le plus, au point, m'a-t-il affirmé, qu'il ne peint jamais sans l'écouter. Des contes, il en a toujours pour vous enchanter,

Detail (gouache) 1962

ils sont souvent puérils, parfois moralisateurs, d'autres fois ils semblent surgir des « mille et une nuits », ou des grands thèmes de l'Islam.

Il les peint avec autant de chaleur qu'il les raconte. La tradition populaire se perpétue chez lui aussi bien dans la narration orale que picturale. Ses tableaux ou ses fresques comportent un décor féerique de palais, de mosquées, de demeures dont il a inventé l'architecture. Les détails qui y foisonnent créent un édifice où vivent des personnages qui rappellent ceux des contes de fées de notre enfance. Ils sont le plus souvent peints de face et situés sur un même plan. Autour d'eux, toute une faune d'animaux étranges dont la cohabitation surprend et souligne encore plus le fantasme.

C'est là un monde mythique que Louardighi puise dans les sources orales de la tradition populaire. Son imagination l'enrichit et crée une transposition allégorique où la féerie est toujours présente.

Le printemps (gouache) 100 × 62 1972

La fille de joie (gouache) 100 × 62 1971

(gouache) 205 × 93 1962

Détail (gouache) 1962

Detail (gouache) 1962

MOHAMED MELEHI

Né en 1936 à Asilah, au nord du Maroc. Son père, agriculteur, le destinait à l'agriculture. Mais devant l'insistance du jeune garçon, il le laisse s'inscrire à l'école des Beaux-Arts de Tétouan où il passe 2 années. Il obtient une bourse pour l'académie des Beaux-Arts de Séville (1955) puis celle de Madrid (1956-57) section sculpture, et enfin il se rend à Rome pour étudier la peinture, la mosaïque et la céramique. C'est en Italie qu'il découvre les expressionnistes allemands

(huile) 95 × 110 1969

et italiens, l'art asiatique zen, les peintures de Pollock, Klee et de Stael. Ce monde nouveau lui donne une soif de recherches et provoque en lui une crise d'identité qui durera longtemps. Il va ensuite à Paris où il séjourne quelques mois avant de se rendre aux Etats-Unis (1962-64) où il travaille comme assistant

(huile) 95 × 110 1970

en peinture à la Minneapolis School of Art et obtient une bourse de la Rockfeller Fondation. En 1964, il revient définitivement au Maroc où il enseigne pendant 5 ans la peinture et la photographie à l'école des Beaux-Arts de Casablanca.
La peinture de Melehi a subi tout au long de sa carrière des changements qui découlent d'événements importants dans sa vie. En Espagne, c'est la découverte de Manolo Millarès qui lui fait rejeter la peinture académique apprise et pratiquée depuis ses débuts. Il a peint un moment comme le maître ; il a utilisé la toile de jute sur laquelle il a planté des clous et coulé de la peinture noire et blanche. Cette technique est arrivée vite à saturation. En Italie, il a fait toutes sortes d'expériences qui ne l'ont pas satisfait : « peinture organique », « peinture spatiale », « collages », « dripping », « action painting ». Il a senti que cela ne con-

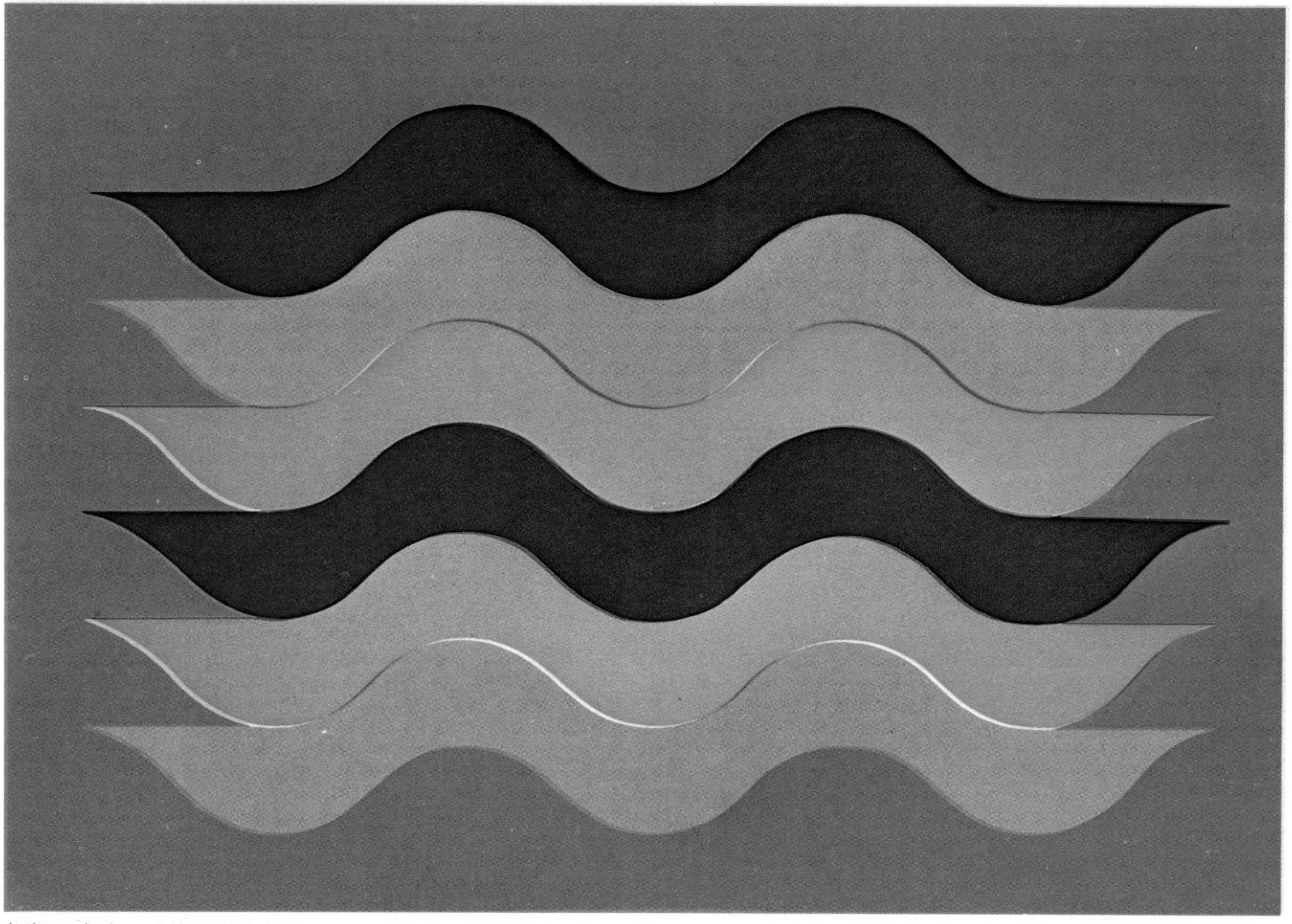

(sérigraphie) 64 × 46 1970

venait pas à son tempérament et que ses recherches ne correspondaient pas à sa propre culture. Aux U.S.A., les contacts humains, la foule, les rues américaines, les conceptions artistiques d'avant-garde l'ont profondément marqué, en

(sérigraphie) 64 × 46 1970

lui donnant une certaine assurance et une maîtrise de son art où le rationalisme jouera un grand rôle dorénavant. Une démarche de remise en question lui a permis de faire de nouveaux choix dans ses conceptions picturales. C'est au Maroc qu'il va agir selon son expérience humaine et artistique. Il la traduit dans un langage pictural de la forme, de la couleur et du signe. Deux éléments de la nature sont toujours présents dans sa peinture : la flamme et l'eau. Parfois vient s'y ajouter le soleil qui est un signe fréquent dans l'art islamique. C'est sous forme d'onde qu'il les compose. Quand l'onde est verticale, elle propose l'image de la flamme, de l'énergie, de l'élan ; quand elle est horizontale, elle fait allusion à l'eau, à la communication. La couleur vient en dernier ressort habiller les signes, mais c'est elle qui donne une signification selon les tons chromatiques mis en jeu. C'est dans la nature qu'il puise son éventaire de couleurs, couleurs qui sont autant de conventions pour exprimer dans sa peinture des idées, des symboles et des concepts.

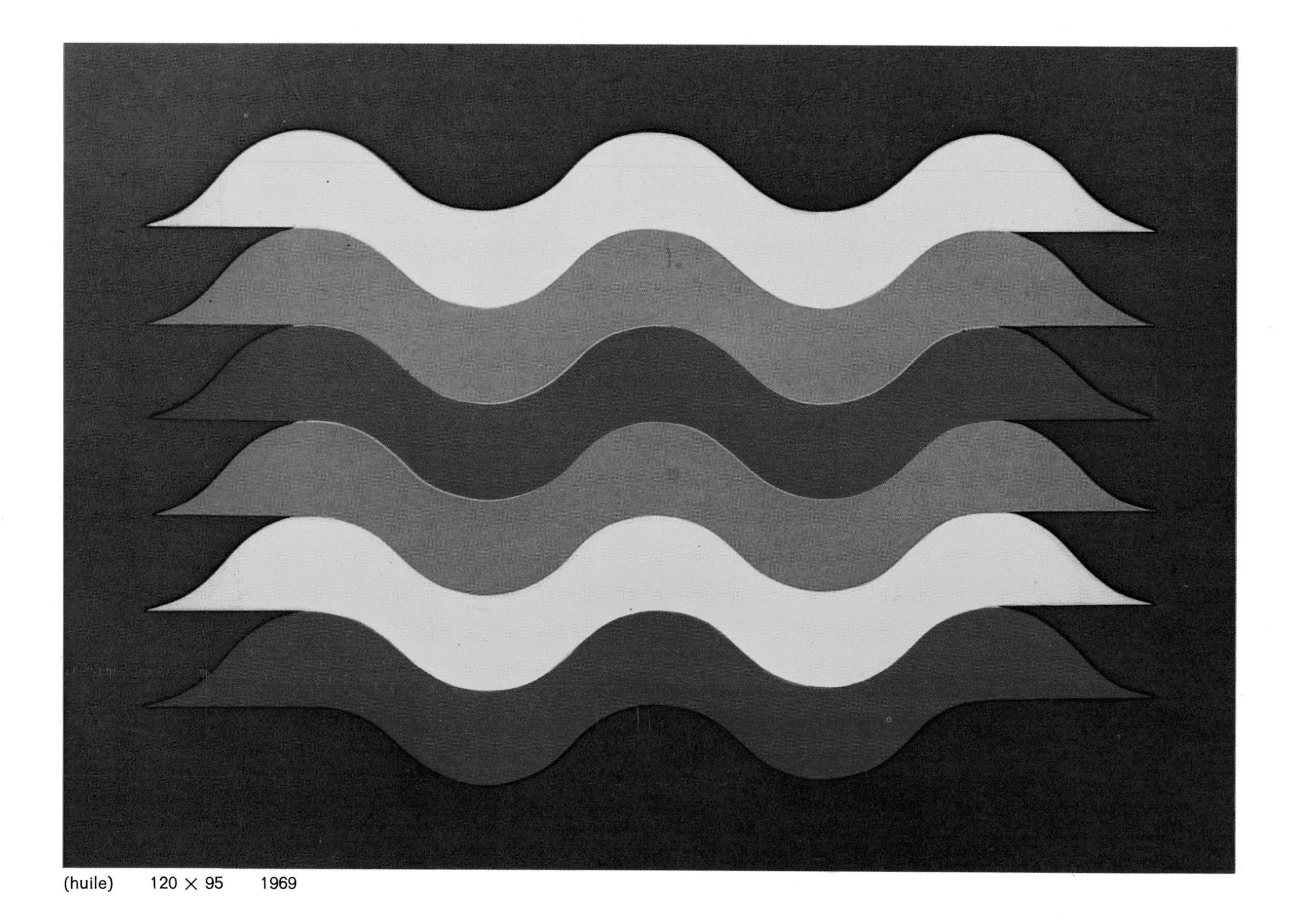

(huile) 120 × 95 1969

(huile) 95 × 110 1971

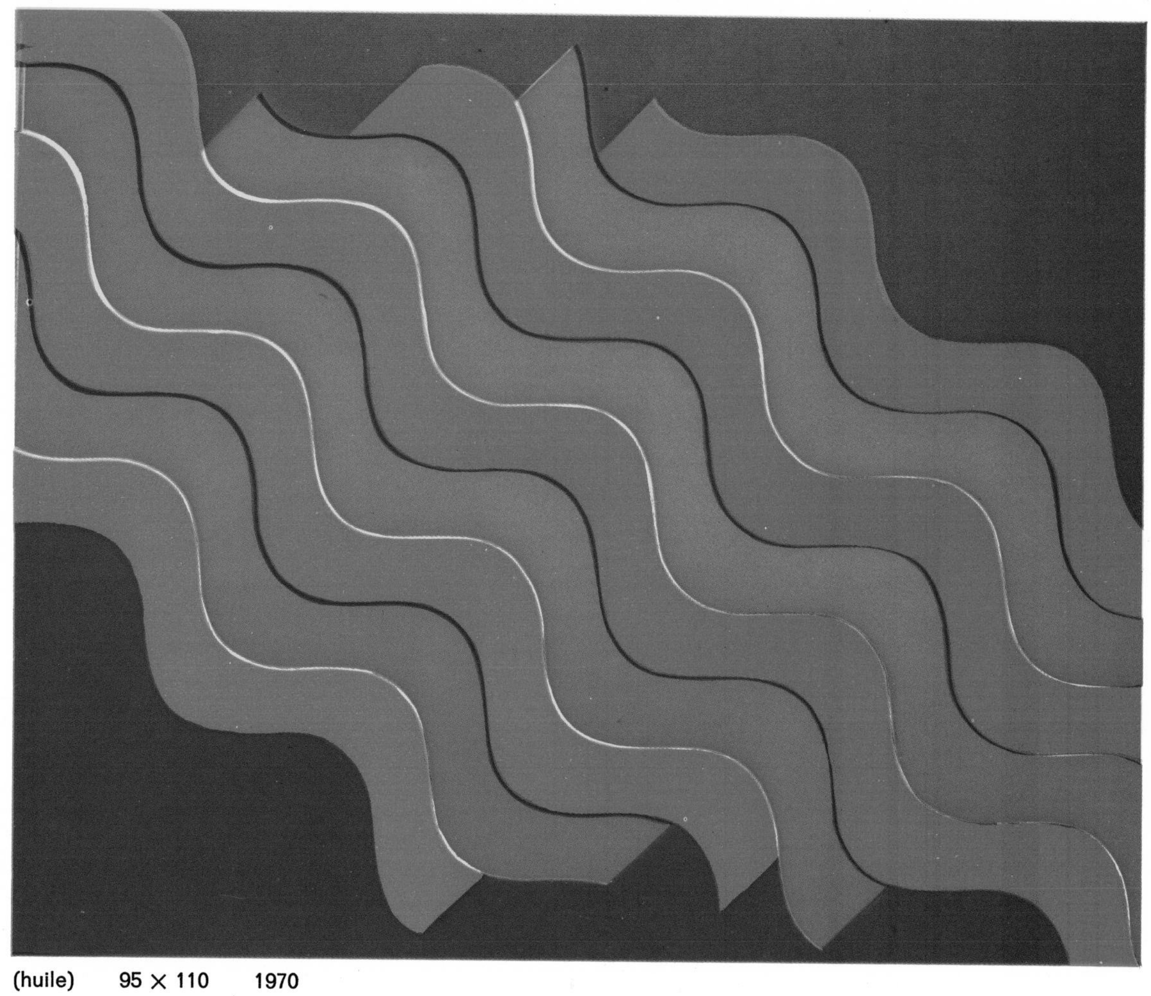

(huile) 95 × 110 1970

(sérigraphie) 64 × 45 1970

MERIEM MEZIAN

Née en 1930 à Mellila (Farjana) au nord du Maroc, dans cette région montagneuse des confins du Rif. Elle a commencé ses études à Larache où son père occupait le poste de général en chef de la région. Celui-ci fit du reste une longue carrière militaire qui l'a mené au grade de maréchal de l'armée marocaine.

Depuis sa tendre enfance, Meriem a alterné les études classiques avec celles de la peinture. A ses débuts elle était autodidacte. Elle fit sa première exposition en 1955 à Malaga (Espagne), les suivantes dans différentes villes du Maroc. Quelque temps après, elle entre à l'école des Beaux-Arts de San Fernando à Madrid et obtient le diplôme de professeur de dessin et de peinture (1959).

Paysage du Sud (peinture) 115 × 82 1969

Ce sont des scènes de la vie quotidienne, des paysages, des kasbahs, des hommes et des femmes du Sud marocain, qu'elle fait vivre avec chaleur et amour. Sa peinture, qui paraît descriptive de par les thèmes et le style, est en fait le reflet d'idées, de problèmes d'identité, de dilemmes parfois obsessionnels, d'expériences vécues ou simplement désirées. C'est aussi la nostalgie du désert ; peut-être se confond-elle chez elle avec celle des grandes heures de l'histoire du Maroc ?

Femmes du Sud (peinture) 112 × 80 1964

MEKKI MEGHARA

Né le 5 Mai 1932 à Tétouan. Après des études à l'école des Beaux-Arts de Tétouan, il se rend en Espagne pour s'inscrire d'abord à l'école Santa Isabel de Hungria à Séville, puis à l'école des Beaux-Arts San Fernando à Madrid. Il obtient le diplôme de professeur de peinture et revient enseigner à l'école des Beaux-Arts de Tétouan (1961). Il habite à Rio Martil, au bord de la Méditerranée. Après avoir fait des portraits et des paysages d'après nature, Méghara s'est dégagé progressivement de son académisme, pour aboutir à une expression informelle, personnelle et originale. Il puise sa thématique dans son environnement et dans

Composition (huile) 66 × 50 1971

sa propre angoisse. Il la restitue dans une composition rigoureuse avec une matière riche et des structures paraissant se perdre dans une infinité de filaments ou dans de larges taches mouvantes. Ses couleurs où dominent le rouge, le rose, le bleu, sont d'une fulgurante clarté.

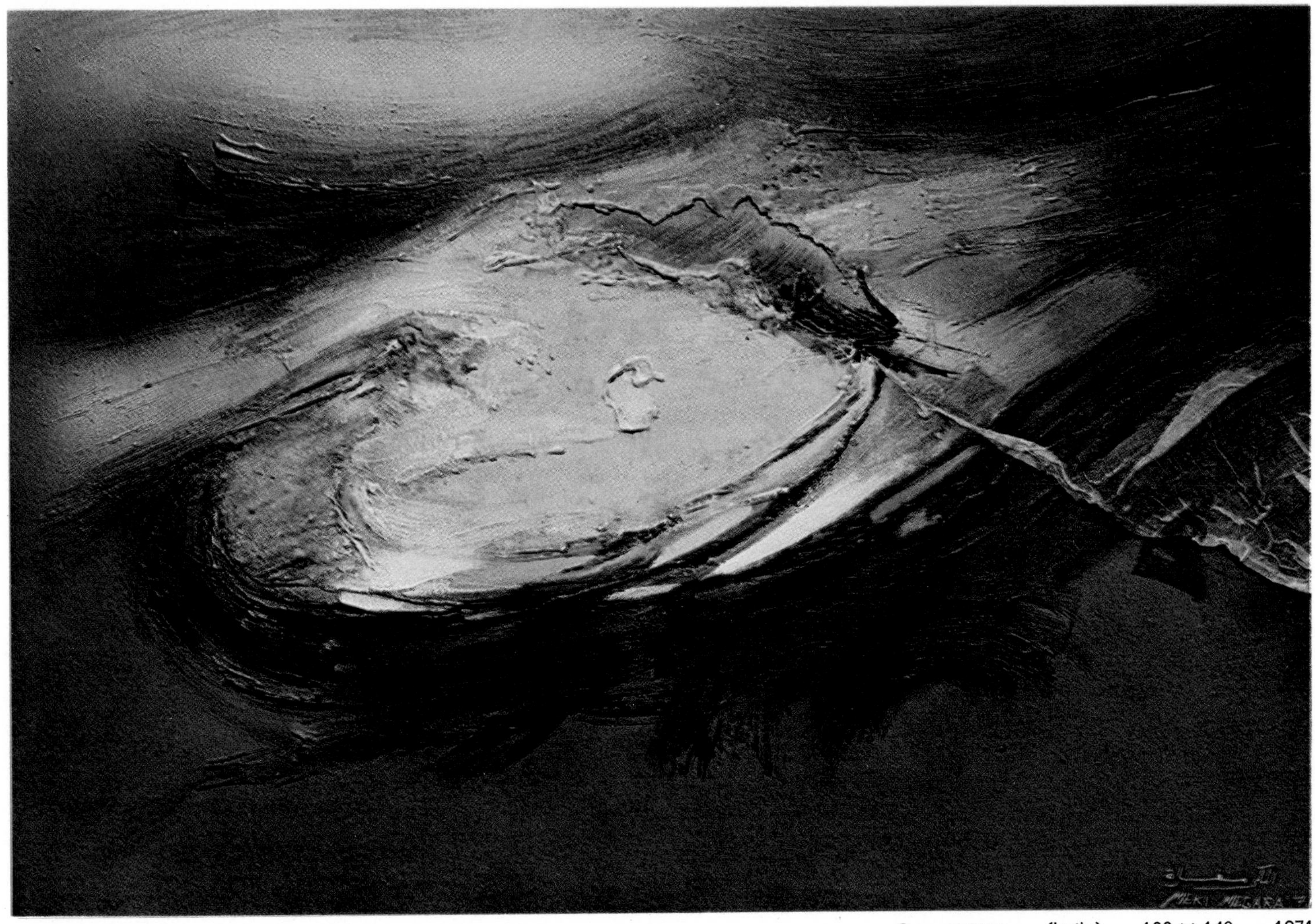

Composition (huile) 100 × 140 1971

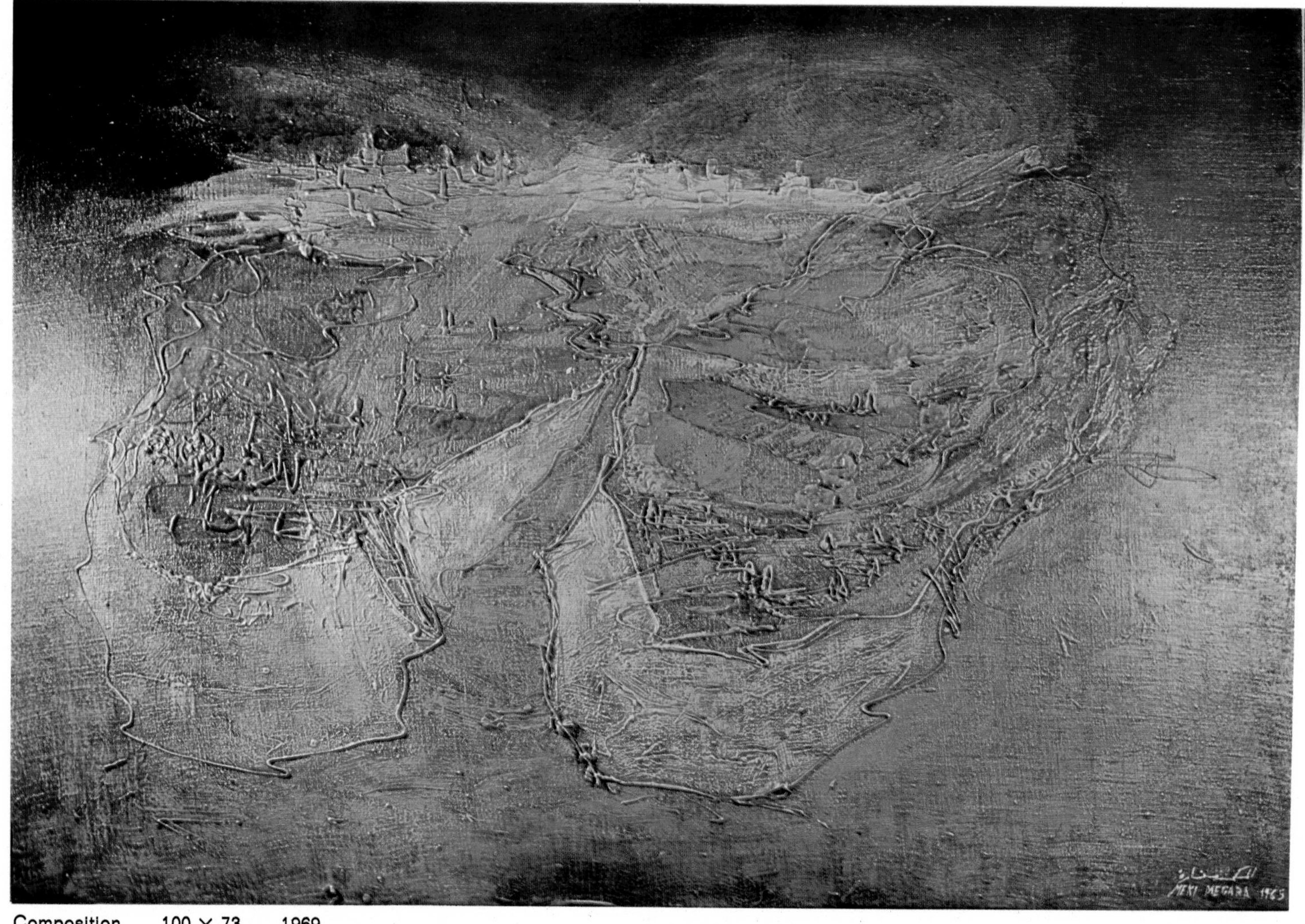

Composition 100 × 73 1969

Portrait 80 × 55 1963

Composition (huile) 1971

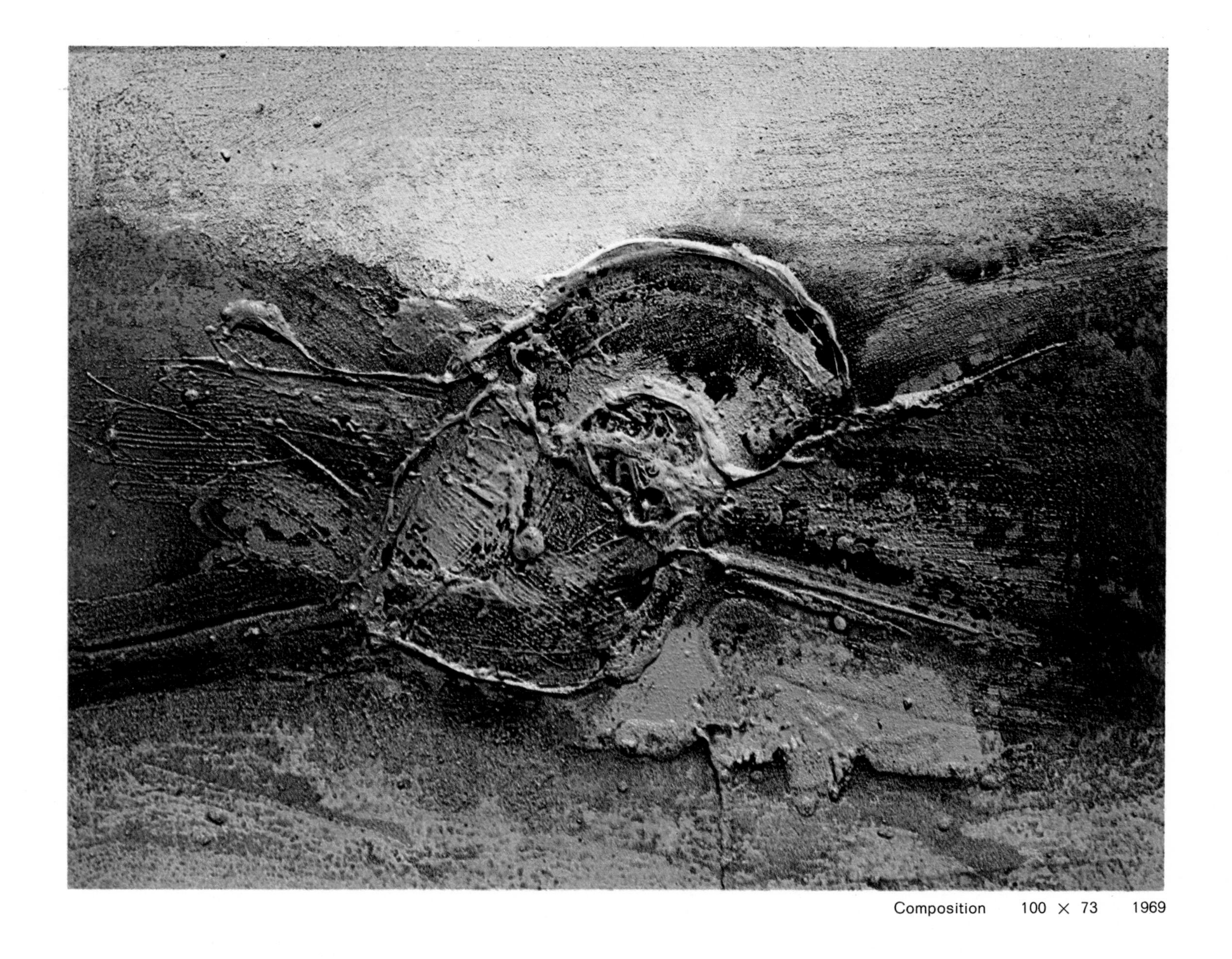

Composition 100 × 73 1969

LABIAD MILOUD

Né en 1939 au douar Ouled Youssef dans le Sraghna (province de Marrakech). Autodidacte, il participe en 1958 à une exposition collective au musée des Oudaïas à Rabat.

A ses débuts, il employait une figuration transposée où se reflétaient toute l'angoisse et les problèmes d'un adolescent. A cette époque, Paul Klee l'a beaucoup influencé. Ce n'est qu'en 1965, après un voyage en Europe et un long séjour à Amsterdam, que sa peinture est devenue informelle. Il s'exprime grâce à un symbolisme particulier, en utilisant des couleurs aux tons subtils qui dénotent une grande sensibilité.

(huile) 61 × 47 1970

(gouache) 61 × 47 1964

ABDELHAK SIJELMASSI

Né en 1938 à Kénitra. A peine a-t-il commencé ses études primaires qu'une longue maladie vient les interrompre définitivement. Grâce à sa famille, il s'est développé dans une ambiance artistique. A l'âge de 19 ans, à la mort de son père, il s'est occupé d'agriculture pendant quelque temps, découvrant les dures réalités de la vie. Renfermé, solitaire, il occupe ses loisirs à couvrir des cahiers de centaines de dessins. C'est en 1963 qu'il commence à peindre en autodidacte. Dès le début, ce sont des thèmes d'une sensibilité aiguë, qu'il fait vivre sur ses

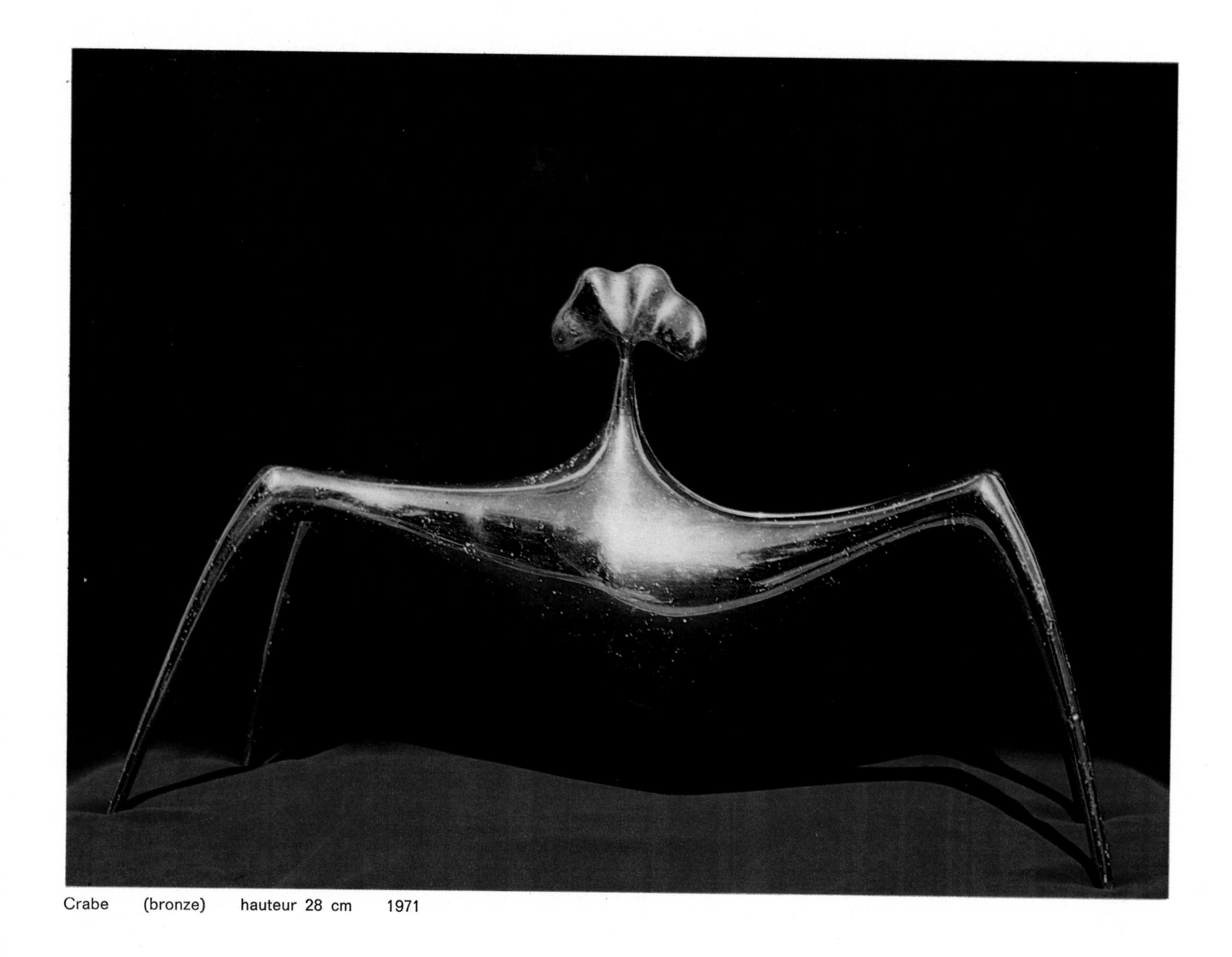

Crabe (bronze) hauteur 28 cm 1971

toiles en peignant des sujets souvent angoissants. Mais la peinture ne suffit pas à ce manuel pour exprimer ses sentiments profonds, sa solitude et ses rapports avec la société. Toujours en autodidacte, il s'attaque à la sculpture et manie avec dextérité et une assurance remarquable le bois, le cuivre, le bronze, le fer et l'argent, auxquels il donne des formes dont il n'a retenu que l'essentiel, aboutissant parfois à une abstraction pure qui ne laisse jamais indifférent.

Couple (bronze) 1972

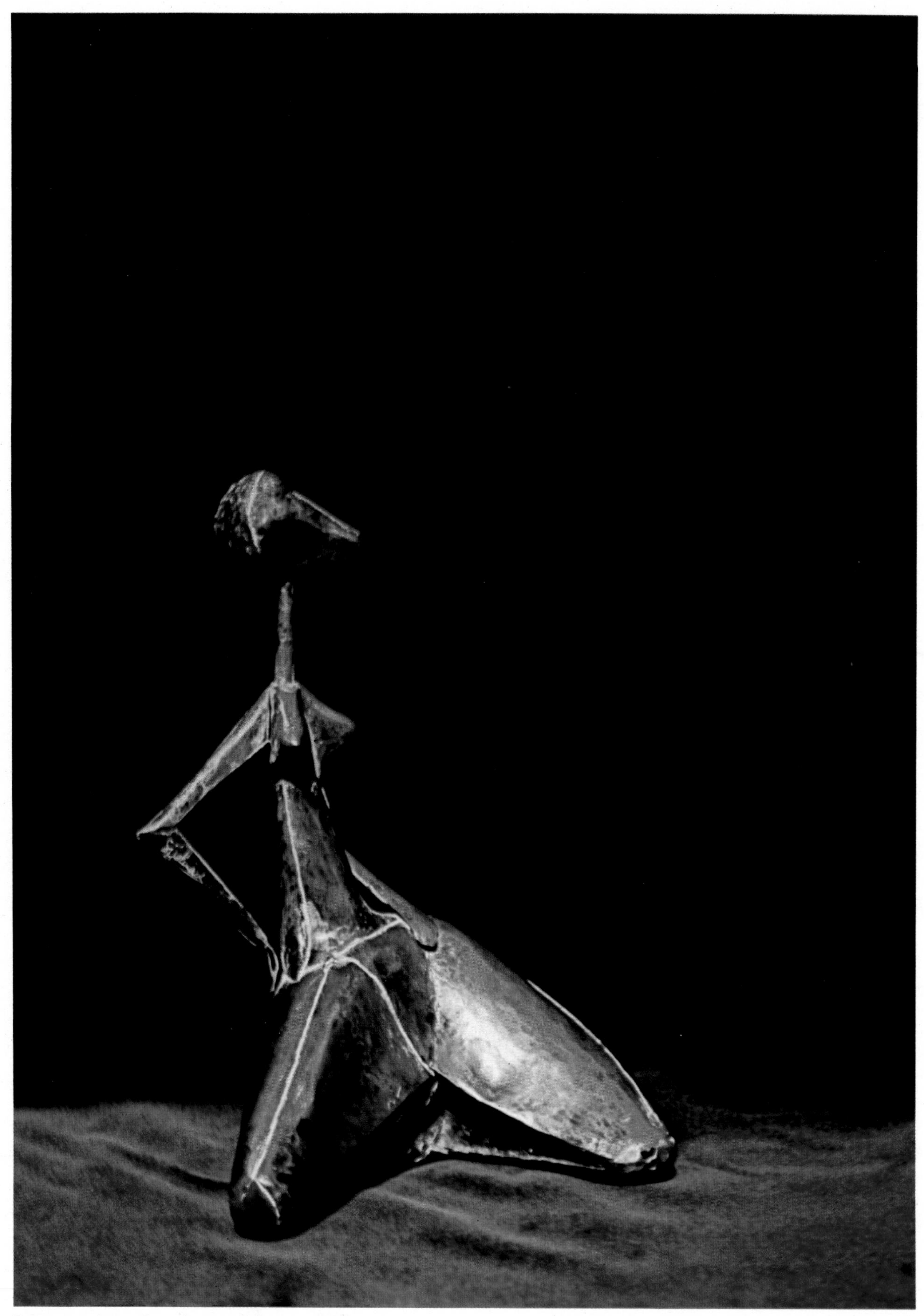

Daouïa (cuivre) hauteur 26 cm 1971

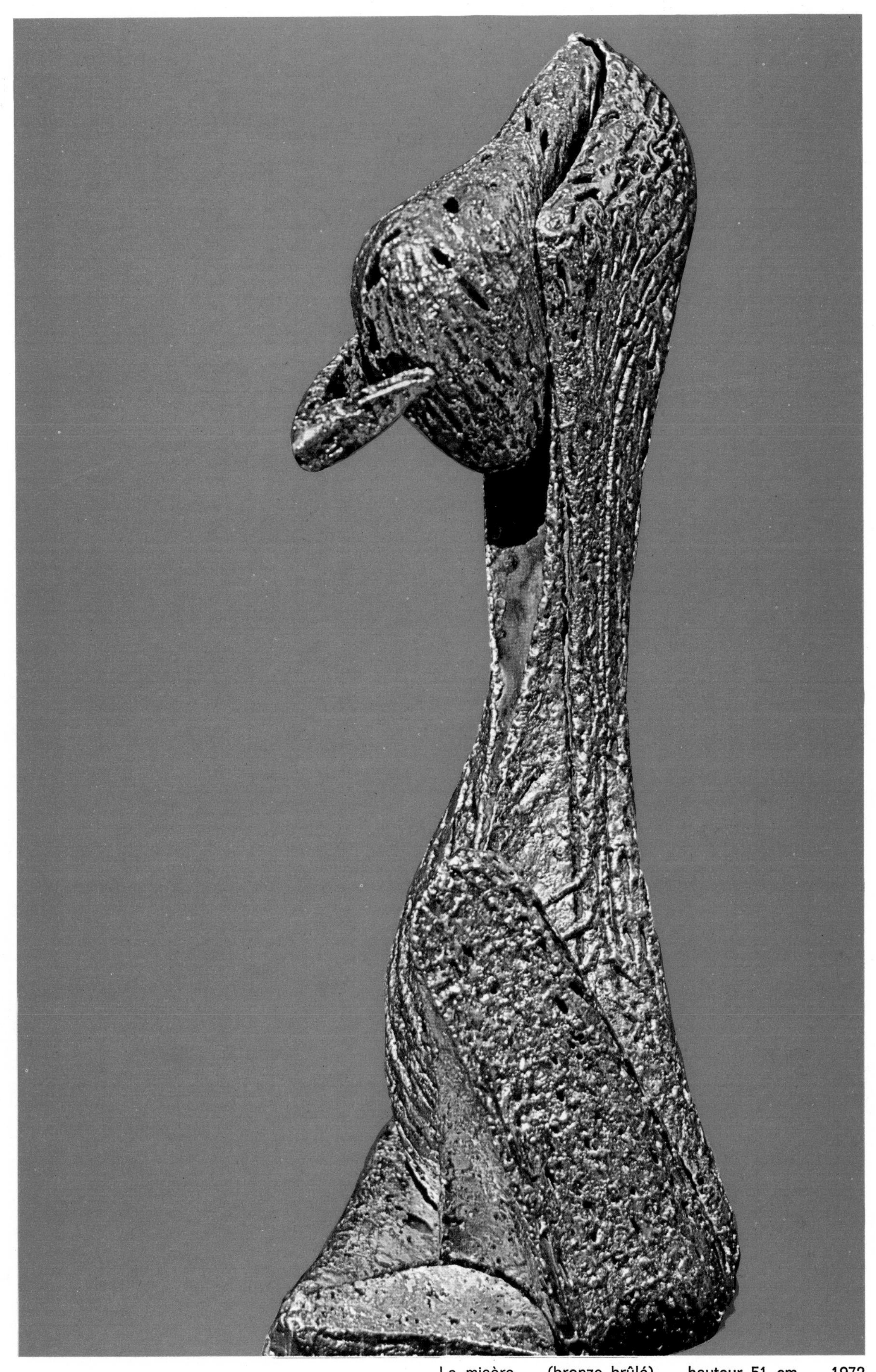

La misère (bronze brûlé) hauteur 51 cm 1972

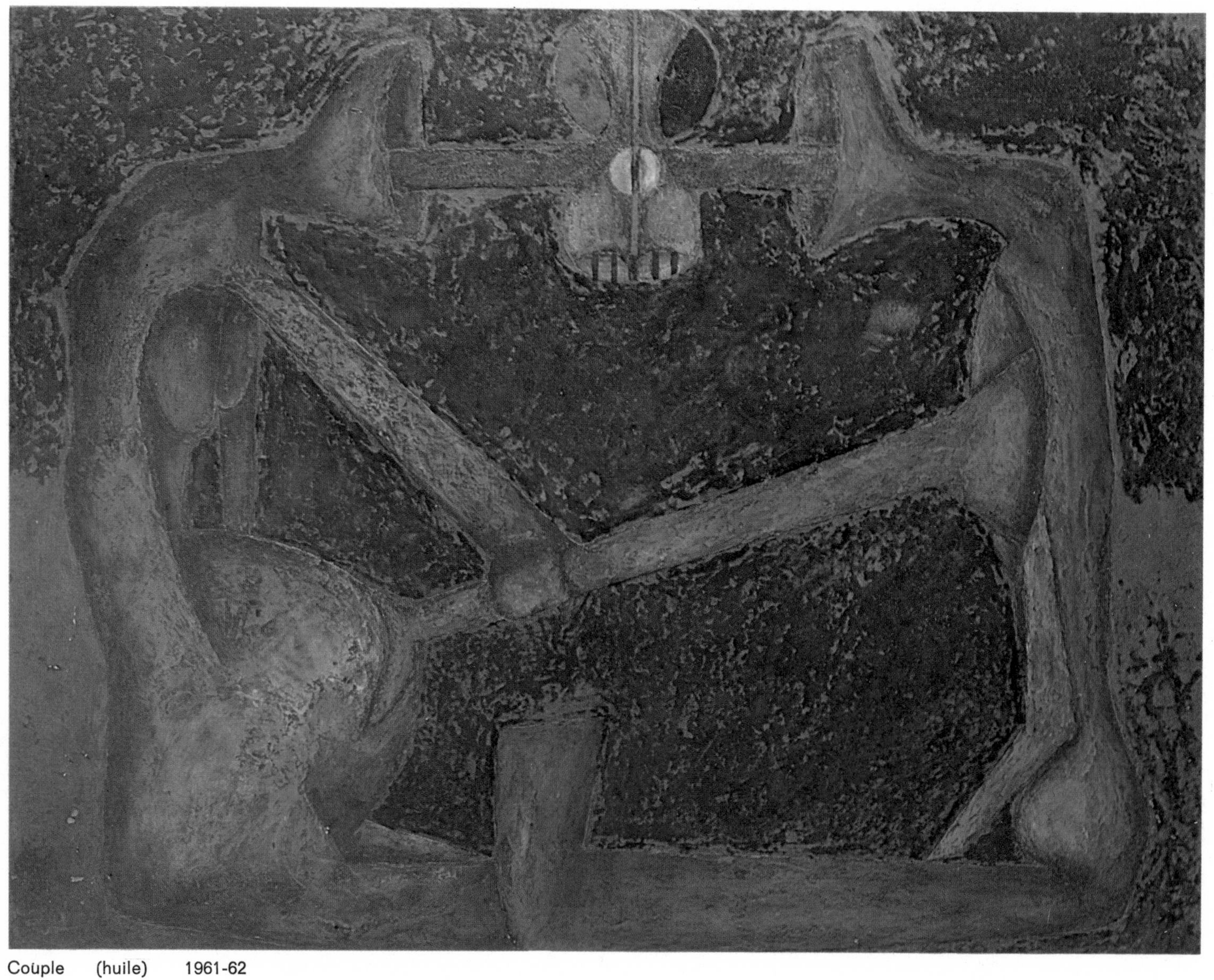

Coùple (huile) 1961-62

Regard (huile) 47 × 68 1965

CHAIBIA TALLAL

Née en 1929 à Chtouka, dans la région de Casablanca. Elle a grandi à la campagne où, comme les petites filles de son âge, elle a appris à tisser la laine et à faire des broderies, ce qui lui servira plus tard à gagner sa vie et élever son enfant, le peintre Hossein Tallal. Elle est devenue veuve un an après la naissance de son fils, auquel elle s'est entièrement consacrée. Elle n'est jamais allée

Femmes au bain 140 × 105 1970

à l'école et ce n'est que depuis ces dernières années qu'elle prend des cours pour apprendre à lire et à écrire. C'est en 1965 qu'elle commence à peindre.
Un jour elle montre ses toiles à son fils et au peintre Ahmed Cherkaoui qui l'encouragent vivement. Pierre Gaudibert, de passage au Maroc, la découvre et la fait participer en 1966 au Salon des Surindépendants, au Musée d'Art Moderne de Paris. Depuis, elle a abandonné ses broderies et ses tapis pour se consacrer uniquement à la peinture.

Coucher de soleil 65 × 50 1971

Autodidacte, elle peint tout un monde intérieur qu'elle rend avec force et originalité. Ce sont des visages aux expressions saisissantes et dont elle n'a retenu que l'essentiel, pour exprimer ce qu'elle ressent. Ce sont surtout des transpositions chromatiques abstraites, qui n'ont plus aucun rapport avec la peinture naïve de ses débuts. A peine initiée au pinceau, elle s'est haussée d'emblée au niveau des brûlantes préoccupations des milieux artistiques et propose des solutions aussi inattendues qu'originales. Elle s'est vite libérée des forces de la tradition et des contrariétés imposées par les conventions, grâce au mystérieux pouvoir de la création.

De son pinceau jaillissent des couleurs vives, agressives, qu'elle va puiser dans la nature où elle a été élevée. Avant de peindre, et après avoir fait sa prière, elle est devant sa toile « comme un aveugle qui sent l'eau et le feu sans les avoir touchés ». Sa nature de paysanne toute instinctive ressort de sa peinture qui, comme elle, déborde d'énergie et de gaieté.

Corbeille de fruits 65 × 50 1971

Les comédiens (gouache) 81 × 65 1971

Le bateau 100 × 77 1971

Lever de soleil (huile) 81 × 65 1971

La berbère (huile) 54 × 73 1971

HOSSEIN TALLAL

Né en 1942 à Chtouka, dans la région de Casablanca. Orphelin à l'âge d'un an, c'est sa mère, le peintre Chaibia, qui l'a élevé. Il a d'abord étudié pendant six ans la ferronnerie dans une école professionnelle. Parallèlement à ses études, il dessinait puis peignait à ses moments de loisirs. Des amis l'ont encouragé à participer au Salon d'Hiver de Marrakech de 1965. Le grand prix qu'il obtient le décide à abandonner les études et à se consacrer le soir à la peinture, et le jour à diriger des courses de lévriers, dont il est le directeur technique. Cette occupation lui permet une certaine autonomie et une liberté de recherches.

Mirage bleu (gouache) 113 × 93 1971

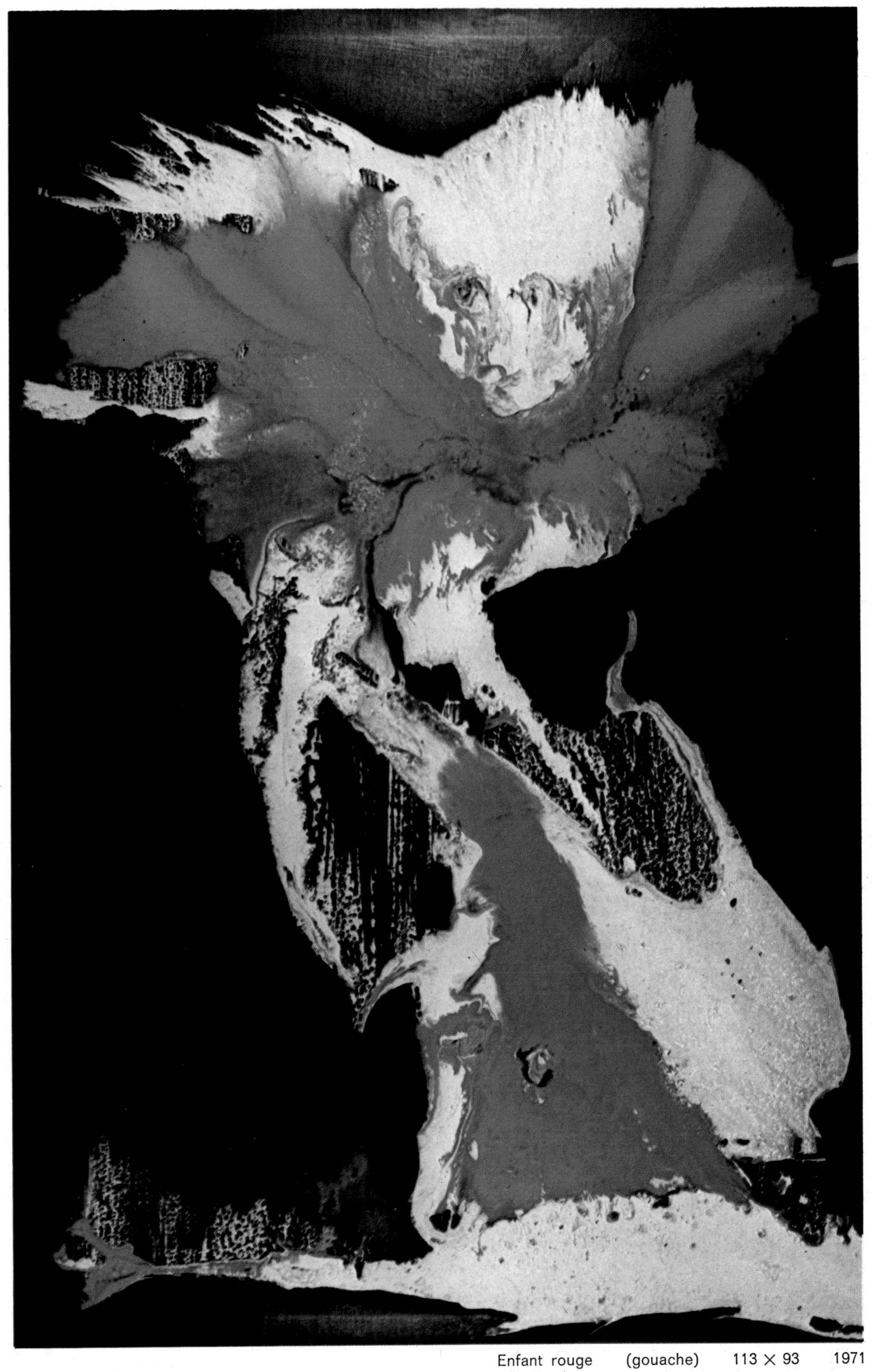

Enfant rouge (gouache) 113 × 93 1971

Naissance (gouache) 113 × 93 1971

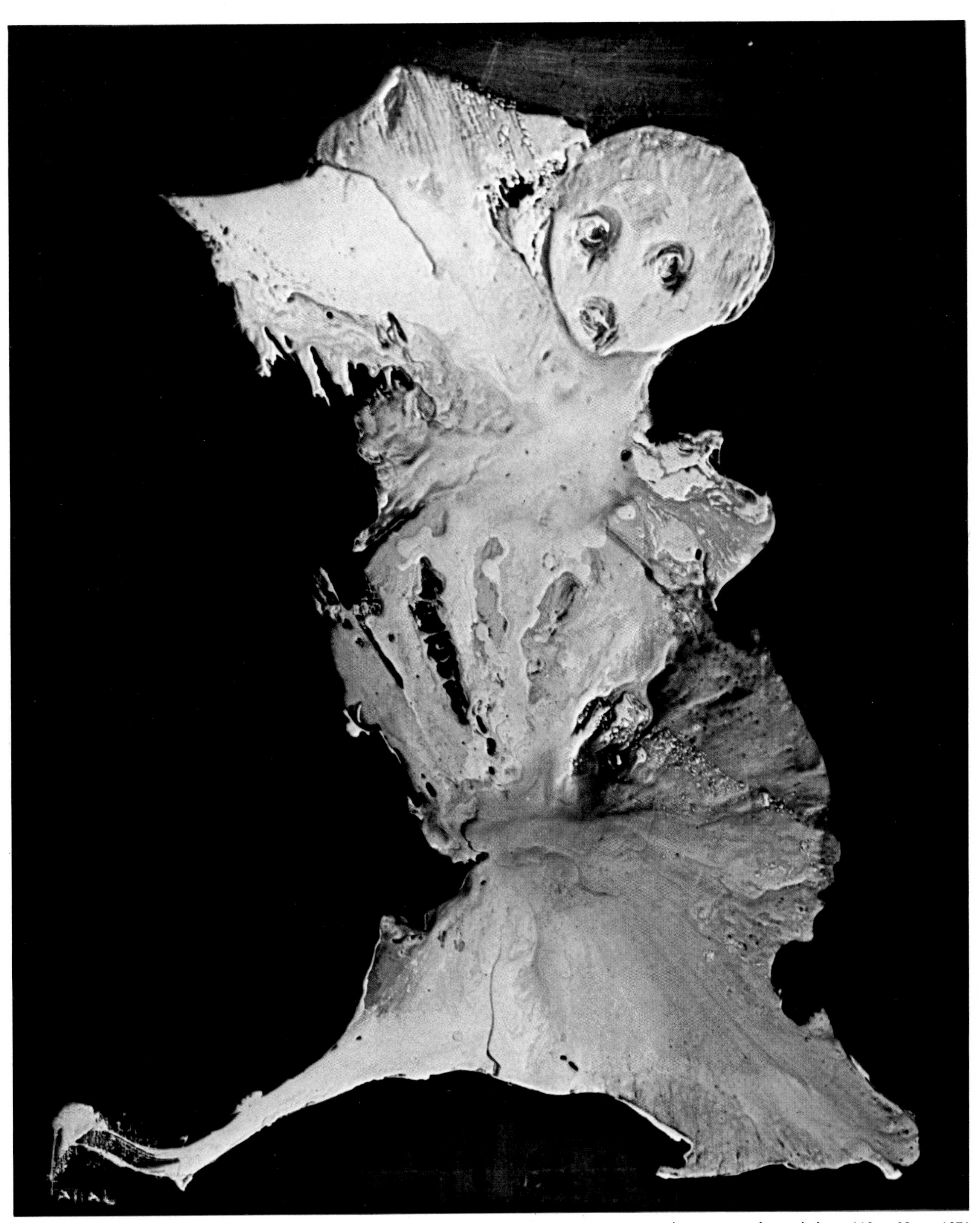

La none (gouache) 113 × 93 1971

SAÏD AÏT YOUSSEF

Né en 1920 dans la magnifique vallée des Ait Bougamaz, dans l'Atlas. Là les femmes sont belles et portent des parures somptueuses ornées d'ambre. La nature est grandiose et recèle une faune sauvage en voie de disparition. Fils de berger, Saïd fut aussi berger dès l'âge de 8 ans. Pour seuls compagnons, il avait ses chiens et le troupeau qu'il gardait le jour et ramenait le soir au douar construit en pisé. Il avait tout le temps d'admirer la nature et de s'en imprégner. Dès l'âge de 12 ans, les problèmes de subsistance se posaient pour lui et l'avenir lui paraissait incertain, c'est pourquoi il s'engagea dans l'armée française à l'âge de 18 ans.

De Kasbah Tadla, où il apprit à manier les armes, il fut envoyé en Europe pour

Faune de l'Atlas (gouache) 80 × 50 1972

participer à la Deuxième guerre mondiale. Il fit la campagne d'Italie et la campagne d'Allemagne. Il obtient le grade de sergent-chef. En 1947, il est envoyé pendant cinq ans en Indochine où il est fait prisonnier de guerre à Dien Bien Phu. En 1951, il est décoré de la médaille militaire, de la croix de guerre, avec de brillantes citations et retourne enfin au Maroc où il travaille comme portier dans un hôpital à Marrakech. Là il commence à peindre, avec une certaine naïveté mais beaucoup de poésie, des scènes et des paysages des Aït Bougamaz, jusqu'au

L'école coranique (gouache) 70 × 55 1971

jour où deux de ses amis peintres, Farid Belkahia et Jacques Azema, le découvrent et le font participer à une exposition qui sera suivie d'autres. A Agadir, où il vit actuellement, il continue à peindre avec acharnement. Peu importe que le berger, le guerrier, soit illettré, il n'en reste pas moins vrai qu'il est devenu peintre par la force de sa volonté, et par son pouvoir d'effusion contenu depuis son enfance. Son art est une recherche constante de son passé. Guidé par son instinct, il parvient à rendre ses souvenirs et les paysages familiers dans lesquels il a grandi et dont il garde une profonde nostalgie.

Le joueur de flûte (gouache) 82 × 50 1972

Rêve d'enfant (gouache) 82 × 50 1972

ABDELLATIF ZINE

Né en 1940 à Marrakech. Son père, commerçant, le destinait à des études supérieures mais, en 1959, il quitte sa famille pour s'inscrire l'année suivante à l'école des Beaux-Arts de Casablanca, et de 1963 à 1965 à l'école des Beaux-Arts de Paris.

De retour au Maroc, il s'installe à Casablanca et prépare plusieurs expositions. Ses thèmes sont les scènes quotidiennes et le folklore marocain qu'il peint par transposition.

Autour du méchoui (huile) 57 × 77 1971

Le thé (huile) 57 × 77 1971

INDEX BIOGRAPHIQUE

ABOUALI AZIZ

Né à Marrakech en 1939.

Ecole des Beaux-Arts de Tétouan, puis différentes académies des Beaux-Arts en Espagne.

Spécialisé dans la gravure et la peinture murale.

Première exposition en 1961.

AHERDANE MAHJOUBI

Né en 1924 dans le Moyen Atlas à Oulmès.

Autodidacte.

Il a d'abord réalisé des graphismes à l'encre de Chine, et ces dernières années, une peinture surréaliste. Réside à Rabat.

Il a publié un recueil de poèmes chez Julliard : « Cela reste cela ».

Première exposition aux Etats-Unis en 1957.

AIT YOUSSEF SAID

Né en 1920 aux Ait Bougamaz dans l'Atlas.

Autodidacte. Berger jusqu'à l'âge de 18 ans, puis militaire jusqu'en 1947.

Réside à Agadir.

Première exposition en 1959.

ALAOUI HAMID

Né le 21 juin 1937 à Fès.

Après des cours à l'école des Beaux-Arts de Casablanca, il obtient une bourse pour l'école des Beaux-Arts de Paris (1957-64). En 1965, il entre à l'école du Louvre (4 années), chargé de mission auprès des Musées de France, attaché au Musée des Arts Africains et Océaniens.

Peintures à l'huile, gouaches, acrylique, sérigraphies, tapis, sculptures.

Première exposition en 1969 à la Galerie Solstice à Paris.

ALAOUI MOULAY ALI

Né à Salé en 1924.

Autodidacte.

Réside à Salé.

Première exposition en 1963.

ATAALLAH MOHAMED

Né à Ksar el Kébir le 26 mai 1939.

Ecoles d'Art de Tétouan, Séville, Madrid et Rome.

Actuellement professeur à l'école des Beaux-Arts de Casablanca.

A participé à l'exposition Manifeste de la Place Jamaa el Fna à Marrakech et de la Place du 16 Novembre. Première exposition en 1956.

BELKADI LARBI

Né le 17 juillet 1939 à Rabat.

Ecole des Beaux-Arts de Casablanca, puis IDHEC à Paris.

Première exposition en 1960.

BELKAHIA FARID

Né à Marrakech en 1933.

Ecole des Beaux-Arts de Paris (1954-59) et Tchécoslovaquie (1959-62).

Voyages d'études en Italie et U.S.A.

Depuis 1962, directeur de l'école des Beaux-Arts de Casablanca.

Peintures à l'huile, gouaches. Il a travaillé le cuivre et réalisé plusieurs travaux d'intégration architecturale. A participé à l'exposition Manifeste de la Place Jamaa el Fna à Marrakech et de la Place du 16 Novembre à Casablanca.

Première exposition en 1953.

Exposition personnelle Place des Vosges à Paris en 1972.

BEN ALLAL MOHAMED

Né en 1924 à Marrakech.

Autodidacte.

Réside à Marrakech.

Première exposition en 1953.

BEN M'BAREK BRAHIM

Né en 1920 à Taroudant, où il meurt en 1961.

Autodidacte.

Sculptures sur pierre.

BENNANI KARIM

Né le 2 janvier 1936 à Fès.

Atelier Charpentier. Académie Julian. Ecole des Beaux-Arts de Paris.

Réalise des travaux de décoration. Présente ses premières tapisseries en 1972.

Réside à Rabat.

Première exposition en 1955.

BENT EL HOSSEIN RADIA

Née à Marrakech en 1909.

Autodidacte.

Mère du peintre MILOUD.

Réside à Salé.

Première exposition en 1964.

BEN YOUSSEF

Né en 1945 à Tétouan.

Ecole d'Art de Tétouan et Séville.

Réside en Espagne.

CHEBAA MOHAMED

Né à Tanger en 1935.

Etudes en Italie (1962-64).

Enseigne la décoration architecturale à l'école des Beaux-Arts de Casablanca (1966-70).

Réalise des travaux de décoration architecturale et poursuit des recherches dans le domaine de la calligraphie et des arts graphiques.

Réside à Casablanca. A participé à l'exposition Manifeste Place Jamaa el Fna à Marrakech et Place du 16 Novembre à Casablanca.

Première exposition en 1962.

CHEFFAJ SAAD

Né le 16 janvier 1939.

Ecole des Beaux-Arts de Séville. Ecole du Louvre à Paris. Ecole Santa Isabel de Hungria en Espagne. Faculté des Lettres à Séville (archéologie).

Actuellement professeur à l'école des Beaux-Arts de Tétouan, où il réside.

Première exposition en 1957.

CHERKAOUI AHMED

Né le 2 octobre 1934 à Boujad, région de Casablanca.

Diplôme de l'école des Métiers d'Art de Paris (1959). Fréquente l'atelier d'Aujame. Académie des Beaux-Arts de Varsovie en 1961.

A résidé à Paris jusqu'à sa mort, il fut inhumé le 17 août 1967 à Casablanca.

Première exposition en 1959.

DEMNATI AMINE

Né le 15 janvier 1942 à Marrakech.

Ecole des Arts Appliqués à Casablanca puis à Paris. Ecole des Métiers d'Art, Ecole des Arts Décoratifs et Ecole du Louvre à Paris.

Peintures à l'huile et gouaches.

Décédé le 10 juillet 1971.

Première exposition en 1961.

DRISSI MOULAY AHMED

Né à Marrakech en 1924.

Autodidacte. Nombreux voyages à l'étranger et long séjour à Paris.

Peintures à l'huile et gouaches, nombreuses sculptures en béton.

Réside à Rabat.

Première exposition en 1953.

ELAMRANI

Né à Tétouan en 1942.

Ecole des Beaux-Arts de Tétouan. Ecole des Arts graphiques de Madrid (gravure et lithographie). Ecole Santa Isabelle de Séville. Ecole San Fernando à Madrid.

Professeur à l'école des Beaux-Arts de Tétouan depuis 1966.

Première exposition en 1957.

MILOUD LABIAD

Né en 1939 au Douar Ouled Youssef à Sraghna.

Atelier de peinture au service de la Jeunesse et des Sports à Rabat.

Réside à Rabat. Première exposition en 1958.

EL GLAOUI HASSAN

Né à Marrakech en 1924.

Autodidacte. Nombreux séjours à l'étranger.

Réside à Rabat.

Première exposition en 1951.

FAKHAR

Né à Tétouan.

Ecole d'Art de Tétouan. Ecole Santa Isabel de Séville.

Professeur de dessin et d'histoire de l'Art à l'école des Beaux-Arts de Tétouan.

Première exposition en 1957.

GHARBAOUI JILALI

Né à Jarf el Melh, dans le Gharb, en 1930.

Etudes secondaires et techniques au Maroc. Académie Julian. Ecole des Beaux-Arts de Paris. 1958-59, séjour d'études à Rome.

Premier peintre marocain non figuratif.

Nombreux travaux à Tioumliline au Moyen-Atlas.

Décédé le 8 avril 1971 à Paris. Inhumé à Fès le même mois.

Première exposition en 1957.

HAMIDI MOHAMED

Né en 1941 à Casablanca.

Ecole des Beaux-Arts de Casablanca (1956-58). Ecole des Beaux-Arts de Paris. Ecole des Métiers d'Art. Certificat d'enseignement d'art monumental.

Actuellement professeur à l'école des Beaux-Arts de Casablanca.

A participé à l'exposition Manifeste Place Jamaa el Fna à Marrakech et Place du 16 Novembre à Casablanca.

Première exposition en 1958.

HAFID MUSTAPHA

Né le 4 janvier 1942 à Casablanca.

Ecole des Beaux-Arts de Casablanca et Varsovie.
Professeur à l'école des Beaux-Arts de Casablanca.

Première exposition en 1959.

HOUCINE

Né en 1936 à Oujda.

Dessinateur industriel d'abord. Ecole des Beaux-Arts de Paris où il s'intéresse à la lithographie et la gravure sur cuivre.

KACIMI MOHAMED

Né en 1942 à Meknès.

Stages d'initiation aux arts plastiques à Rabat.

Animateur d'atelier de peinture spontanée.
Réside à Rabat.

Première exposition en 1961.

LAHLOU TAIEB

Né le 12 janvier 1929 à Tanger.

Décédé le 30 mai 1972 à Marrakech.
Autodidacte.

Première exposition en 1953.

LOUARDIGHI AHMED

Né à Salé en 1928.

Autodidacte. Jardinier depuis l'âge de 10 ans.

Réside à Salé.

Première exposition en 1960.

MALOUKI BOUCHAIB

Né le 24 janvier 1942 à Casablanca.

Ecole des Beaux-Arts de Casablanca. Ecole des Arts Décoratifs de Paris.

Réside à Casablanca.

Première exposition en 1963.

MEGHARA MEKKI

Né le 5 mai 1932 à Tétouan.

1952, école des Beaux-Arts de Tétouan, où il revient comme professeur de peinture en 1961. Beaux-Arts de Santa Isabel de Hungria à Séville. Diplôme de professeur de l'école San Fernando de Madrid.

Réside à Rio Martil, près de Tétouan.

Première exposition en 1958.

MELEHI MOHAMED

Né à Asilah le 22 novembre 1936.

Ecole des Beaux-Arts de Tétouan, puis Espagne, Italie, France (1957-61).

Professeur assistant en peinture à la Minneapolis School of Art.

Etudie et enseigne aux Etats-Unis (1962-64) avec une bourse de la Rockefeller Fondation.

Professeur de peinture et de photographie à l'école des Beaux-Arts de Casablanca (1964-69).

Réalise des travaux d'intégration architecturale et poursuit des recherches dans le domaine de la photographie et des arts graphiques.

A participé à l'exposition Manifeste Place Jamaa el Fna à Marrakech et Place du 16 Novembre à Casablanca.

Réside à Casablanca.

Première exposition en 1959.

MEZIAN MERIEM

Née à Méllila dans le nord.
Académie des Beaux-Arts de Madrid.

Réside avec son mari à Madrid.

Première exposition en 1955.

SERGHINI

Né le 2 avril 1923 à Larache.

Ecole des Beaux-Arts de San Fernando à Madrid.

Directeur de l'école des Beaux-Arts de Tétouan.

Première exposition en 1963.

SIJELMASSI ABDELHAK

Né à Kénitra en 1938.

Autodidacte. D'abord agriculteur pendant quelques années.

En 1963, il se consacre à la peinture. Depuis 1965, sculptures en fer, bronze, cuivre et argent.

Réside à Casablanca.

TALLAL CHAIBIA

Née en 1929 à Chtouka.

Autodidacte.

Mère du peintre TALLAL Hossein.

Réside à Casablanca. N'a jamais encore quitté le Maroc.

Première exposition en 1966.

TALLAL HOSSEIN

Né à Chtouka en 1942.

Autodidacte.

Réside à Casablanca où il s'occupe de lévriers.
Première exposition en 1965.

YACOUBI AHMED

Né à Fès en 1932.

Autodidacte. Nombreux séjours à l'étranger, notamment en Asie et U.S.A. où il vit depuis quelques années.

Première exposition en 1957.

ZINE ABDELLATIF

Né à Marrakech en 1940.

Ecoles des Beaux-Arts de Casablanca et Paris.

Réside à Casablanca.

Première exposition en 1963.

PRINCIPALES MANIFESTATIONS

1953 Ve Salon d'Hiver du Maroc à Marrakech.
(Première manifestation officielle de la peinture marocaine.
Participants : Mohamed BEN ALLAL, Farid BELKAHIA, Moulay Ahmed DRISSI, Hassan EL GLAOUI, HAMRI, Taieb LAHLOU, Aomar MECHMACHA).

1956 1re exposition itinérante des artistes peintres marocains. Maroc.

1957 Exposition des artistes marocains au San Francisco Museum of Art, San Francisco, U.S.A.
Participation marocaine à la 2e Biennale d'Alexandrie (pays riverains de la Méditerranée).

1958 2e exposition itinérante des peintres marocains. Maroc.
Exposition collective au Pavillon du Maroc. Exposition Internationale à Bruxelles.

1959 1re Biennale de Paris.
3e exposition itinérante des peintres marocains. Maroc.
Exposition des artistes marocains à Vienne. VIIe Festival Mondial de la Jeunesse.
Participation à l'exposition des peintres arabes à Washington DC, U.S.A.
3e Biennale d'Alexandrie.

1960 Exposition de la « Jeune Peinture Marocaine », Bab Rouah - Rabat.
Exposition des peintres marocains à Paris.
Exposition des peintres marocains à Londres.

DE LA PEINTURE MAROCAINE

1961 2e Biennale de Paris.

1962 Participation à l'exposition « Peintres de l'Ecole de Paris et Peintres marocains » - Rabat.

1963 3e Biennale de Paris.
« 2.000 ans d'art au Maroc », Galerie Charpentier - Paris.
Rencontre internationale des artistes, exposition itinérante - Maroc.

1964 Exposition internationale des peintres naïfs à la M.U.F.C. - Rabat.
(Maroc, Indonésie, Haïti, Pologne, Vénézuéla, Yougoslavie).
Premier congrès de l'Association Nationale des Beaux-Arts.
Exposition collective des peintres marocains à El Jadida.
Exposition des peintres marocains à Tunis.
« Deux mille ans d'Art au Maroc » - Madrid.

1965 Peinture naïve marocaine - Rabat.
« Pintura actual en Marruecos » - Madrid.
Panorama de la peinture actuelle, Bab Rouah - Rabat.
4e Biennale de Paris.

1966 Festival Mondial des Arts Nègres.

1967 Exposition Internationale de Montréal.

1969 Festival Panafricain - Alger.
Présence Plastique (Exposition dans la rue - Place Jamaa el Fna à Marrakech et Place du 16-Novembre à Casablanca).

REMERCIEMENTS

Tous ces peintres m'ont autorisé sans réserve à publier leurs œuvres. Ils ont accepté de répondre avec franchise aux nombreuses questions que je leur ai posées. Leur coopération m'a permis de rédiger leur biographie et de donner une idée succincte de leur peinture. Qu'ils trouvent ici, ainsi que les collectionneurs, l'expression de mes remerciements et de mes sentiments les plus amicaux.

PHOTOGRAPHIES

Mohamed SIJELMASSI

assisté pour la classification
et les renseignements techniques
par son épouse,
Khadija SIJELMASSI

TEXTES

Mohamed SIJELMASSI

Achevé d'imprimer sur les presses de l'Avenir Graphique à Paris
Maquette Roger Quittet et Michel Ducros

Dépôt légal 4e trimestre 1972 - N° d'éditeur 1027.
Imprimé en France

R00029 75934
COUNTY COLLEGE OF MORRIS
LIBRARY LEARNING RESOURCES CENTER
Dover, NJ 07801